KU-697-553

Dans la même collection

Les 7 clés de la méditation, Erik Sablé

Petit traité de la connaissance de soi, José Le Roy

L'advaita vedânta facile, Dennis Waite

La vision non-duelle de Douglas Harding, Richard Lang

Aux sources du yoga, Alain Delaye

Le dzogchen, voie du bouddhisme tibétain, Judith Allan & Julia Lawless

Yoga-nidrâ, Pierre Bonnasse

Peut-on vivre au présent ?, José Le Roy

Prendre soin de soi, Enjeux et critiques d'une nouvelle religion du bien-être, Françoise Bonardel

Titre original : The Elements of Hinduism,
publié par Element Books

Collection dirigée par José Le Roy

Illustration de couverture : François Matton

• 43 avenue Gambetta, 75020 Paris • 2016
www.almora.fr
ISBN : 978-2-35118-299-4

Les voies de l'hindouisme

STEPHEN CROSS

Traduit de l'anglais (Royaume-Uni) par Muriel Maufroy

Almora
Spiritualités pratiques

sommaire

Savoir que ce vaste esprit qui est essentiellement Un est dans notre corps et dans celui de chacun, constitue le but ou la vraie sagesse de celui qui connaît l'unité et le vrai principe des choses. De même que l'air diffus passant par les orifices d'une flûte se distingue des notes de la gamme, de même la nature de l'esprit est unique bien que ses formes soient multiples.

Vishnu Purana

introduction

Ce n'est un secret pour personne que l'Occident traverse une crise spirituelle. Pendant près de deux mille ans, l'Europe a été guidée par les perspectives du christianisme, ce que la société occidentale reflète de nombreuses manières. À présent, pour beaucoup, cette période semble arriver à sa fin, et les structures religieuses et sociales qui lui sont associées sont en désarroi. Les anciennes certitudes provenant de la vision chrétienne ont disparu et l'homme moderne se trouve pratiquement dépourvu de guide.

Cette situation a cependant un aspect positif. Alors que l'ancien monde fermé sur lui-même s'est désintégré, l'homme occidental s'est trouvé en contact avec d'autres religions et d'autres visions du monde. Certaines de ces religions, tel l'islam, sont issues de la même tradition sémite que le christianisme et partagent de nombreux traits avec celui-ci. D'autres traditions – l'hindouisme, le bouddhisme, le taoïsme – ont leur origine dans des régions beaucoup plus éloignées de nous, tant physiquement qu'intellectuellement ; elles offrent des perspectives radicalement différentes et par suite, exigent un plus grand effort de compréhension. Ce qui, pendant longtemps, a constitué la base de la pensée occidentale – la réalité du monde extérieur, l'âme en tant que simple substance, la nature linéaire du temps – tout cela est remis en cause. Des ponts sont nécessaires pour accéder à ces différents mondes de pensée et d'expériences spirituelles, et ce livre se propose d'être l'un de ces ponts.

En ce qui concerne l'hindouisme, une fois le pont franchi, l'on découvre sur l'autre rive et derrière la luxuriance de l'imagerie religieuse, une structure de pensée d'une clarté surprenante. Les hindous ont toujours été au fond d'eux-mêmes des métaphysiciens. Pour eux, ce qui compte, ce sont les idées et non pas l'imagerie qui les revêt. Ce sont ces idées, plutôt que les dieux et les mythes qui les expriment, sur lesquelles porte ce livre.

À l'origine, le mot « hindou » était un terme géographique plutôt que religieux. Il fut d'abord utilisé dans l'Empire Perse, puis par les Grecs dans la foulée des conquêtes d'Alexandre, pour désigner ceux qui vivaient autour des rives du grand système fluvial de l'Indus, aujourd'hui le Punjab. Les Indiens que nous appelons hindous n'utilisent pas ce terme entre eux pour parler de leur religion. Pour eux, c'est *vaidika-dharma*, « la religion védique », ou simplement *sanatana-dharma*, « la religion éternelle », la tradition primordiale telle qu'elle existe depuis les premiers frémissements de l'univers. Si l'on demande à quelqu'un en Inde quelle est sa religion, il y a des chances pour que cette personne réponde qu'elle appartient au culte d'une déité – Vishnu ou Rama, Krishna ou Shiva ou Durga. Cela donne une illusion de polythéisme. Le fait que cette personne soit hindoue est tout simplement considéré comme allant de soi, car pour ceux qui sont nés dans l'hindouisme, cet état de choses paraît tellement normal, naturel et éternel qu'il est à peine nécessaire de lui donner un nom.

Nous autres, en Occident, considérons souvent l'hindouisme comme ancien et immuable. Ancien, il l'est certainement, mais les formes de l'hindouisme, elles, sont rarement restées statiques. Au contraire, elles se développent de façon presque constante. Ce qui demeure immuable, c'est le fondement des principes métaphysiques sur lequel repose l'hindouisme, et ceci est symbolisé par la position particulière accordée aux Védas, les textes sacrés considérés comme vérité immuable. Mais les formes qu'en vue du culte, ces vérités revêtent, sont nombreuses et changeantes. « Indra, jadis important et puissant, est passé au grade inférieur de déité mineure. Son assistant, Vishnu, a été promu au centre de la Trinité. Le terrible Rudra est devenu Shiva, le propitiatoire. Un grand nombre d'autres déités tels Dyaus, Aryaman et Pushan, sont discrètement tombées dans l'oubli ! »[1]

Au tout début de la période védique, nous trouvons seulement les dieux ayant rapport aux peuples qui se sont donné le nom d'Aryens – Indra, Mitra, Varuna et les autres. Peu à peu, d'autres dieux ont fait leur entrée dans le panthéon indien, soit en s'y glissant discrètement, soit par la force ou par la danse, parmi lesquels les deux grandes incarnations de Vishnu, Rama et Krishna ; le dieu à tête d'éléphant, Ganesh, et la Déesse Mère, Mahadevi, sous la forme de Parvati ou de Uma, Durga ou Kali. Certaines d'entre elles, pense-t-on, n'étaient autres que les dieux de la terre les plus anciens.

Ce qui différencie considérablement l'hindouisme des religions auxquelles nous sommes habitués en Occident est qu'il ne possède pas un minimum de doctrines établies. Il n'existe aucun *credo* hindou ni aucune autorité ultime : pas de Vatican, pas de Pape. L'hindouisme n'est pas une religion nettement définie mais plutôt la manière de penser de toute une population ancienne et nombreuse. Selon un écrivain indien renommé, « La variété des doctrines qui portent le nom d'hindouisme est ahurissante. On a coutume de considérer un homme de religion comme quelqu'un croyant en une Déité personnelle. Mais dans l'hindouisme, cela n'est pas une nécessité. On peut être un hindou et cependant ne pas croire que la réalité ultime soit un Dieu possédant les attributs d'une personnalité. Même les hindous qui voient l'être plénier comme un Dieu personnel, Le conçoivent de différentes manières. »[2]

De ce fait, il devient évidemment difficile de définir l'hindouisme, néanmoins, ceci est caractéristique, car la pensée indienne se méfie de l'usage excessif des définitions exclusives. Alors qu'en Occident, on tend à analyser, à définir et à différentier, l'hindouisme, lui, tend à synthétiser et met l'accent sur la continuité et les bases communes. Ce qui ne veut pas dire, bien sûr, que l'hindouisme soit dénué de forme. Il possède – un simple coup d'œil le confirme – une pléthore de formes, mais celles-ci tendent à être fluides et se transforment aisément en l'une ou en l'autre. C'est pour cette raison que le gouvernement indien, en quête d'une définition légale du terme hindou, s'est aperçu qu'il ne pouvait pas faire mieux que de définir un hindou comme une personne généralement reconnue en tant que telle par ceux parmi lesquels elle vit !

Une autre manière, largement utilisée, de définir un hindou est celle qui consiste à dire que c'est quelqu'un qui accepte l'autorité des Védas en matière de religion. C'est ainsi que le Bouddha et ses disciples, qui rejettent l'autorité védique, ne sont généralement pas reconnus comme hindous. Pas plus que les Sikhs dont la religion est centrée sur leur livre saint et sur leurs gourous. Cependant, au bout du compte, même cette définition ne convient pas. De nombreux hindous en sont venus à considérer le Bouddha comme la dixième incarnation de Vishnu tandis que d'autres affirment que l'idée selon laquelle le bouddhisme se distingue radicalement de l'hindouisme est une interprétation erronée de l'Occident. Le festival du Seigneur Jagganatha (l'une des formes de Krishna), qui a lieu à Puri dans l'Orissa et qui est peut-être le plus grand festival annuel de toute l'Inde, est considéré par les experts comme ayant été, à l'origine, une fête bouddhique – le district de Puri a jadis longtemps abrité l'une des reliques les plus sacrées du bouddhisme. Nous voyons donc que les frontières délimitant l'hindouisme demeurent floues.

Néanmoins, les Védas – souvent appelés *shrutis* (« ce qu'on entend ») – sont au cœur de l'hindouisme. Les quatre livres d'origine avec les adjonctions faites ultérieurement, jouent un rôle comparable à celui de la révélation dans les religions sémites. Une grande partie de leur énorme prestige repose sans aucun doute sur leur grande ancienneté. Les éléments les plus anciens des Védas contiennent la poésie religieuse du peuple aryen, présents en Inde durant le second millénaire av. JC, et peut-être bien avant, et ont laissé une marque indélébile sur sa culture. La classe des prêtres en Inde – les brahmines – a conservé cette ancienne religion védique centrée sur les sacrifices aux dieux au sein de l'hindouisme.
La seconde raison du prestige des Védas tient au dernier élément qui y fut inclus, à savoir les *Upanishads.* Les principales Upanishads appartiennent à la période allant du neuvième au troisième siècle av. JC. Elles contiennent les enseignements des *rishis* – saints, prophètes et sages retirés dans les forêts et ayant atteint ou étant sur le point d'atteindre l'état de *moksha* ou *mukti* – « libération », l'aboutissement le plus haut de la vie. Leurs découvertes spirituelles, d'un caractère

essentiellement mystique, sont centrales à l'hindouisme de la période ultérieure, et sont considérées par beaucoup comme étant l'autorité définitive.

Dans le langage mythique, les Védas sont éternels : ils sont d'origine divine et non pas humaine, et sont infaillibles dans leur propre sphère. C'est-à-dire qu'ils font état de lois spirituelles et proviennent d'une source supérieure à celle de la connaissance empirique et rationnelle où nous sommes habituellement confinés. Cette source, ce sont les découvertes réalisées intuitivement et directement par les anciens *rishis*, et que chaque nouvelle génération de sages a vérifiées. La connaissance basée sur les sens et sur une dialectique elle-même fondée sur eux, est incapable de nous dire quoi que ce soit de la réalité spirituelle qui elle, appartient à un ordre d'existence totalement différent. Si les rapports de ceux qui ont atteint l'état de libération dans cette vie étaient faux, alors tout serait perdu car nous n'avons rien d'autre pour poursuivre notre chemin. Les Védas font autorité dans le domaine spirituel parce qu'ils sont notre seule source de connaissance dans cette sphère. Mais cela ne signifie pas qu'ils soient infaillibles dans tous les domaines. Dans d'autres domaines de la vie, celui des perceptions par les sens et autres moyens valides de connaissance reconnus par la pensée hindoue, les Védas ne font pas autorité. Shankara, peut-être le plus grand parmi les philosophes hindous, écrit :

> *Cent* shrutis *peuvent affirmer que le feu est froid ou qu'il est obscur; néanmoins, ils n'ont aucune autorité en la matière… nous ne devons en aucun cas accorder aux* shrutis *une signification qu'opposent d'autres autorités.*[3]

Du fait de cette nette distinction, l'hindouisme ne s'est pas trouvé en conflit avec les idées scientifiques, comme ce fut le cas pour certaines autres religions.

Deux grandes traditions, toutes deux ayant leur origine dans les Védas, sont présentes dans l'hindouisme et ont donné naissance à des formes différentes de cette religion. Une grande partie du caractère de l'hindouisme est due à la tension qui existe entre ces deux traditions. Leurs formes sont liées aux différents points de vue adoptés en ce qui concerne la réalité ultime – ou Brahman, comme l'appellent les Upanishads.

L'une de ces traditions est théiste. Elle considère Brahman comme un Dieu Personnel (généralement Vishnu ou Shiva) et ne diffère pas essentiellement de la notion occidentale de Dieu : Brahman possède des qualités qui nous permettent de Le connaître. Il est tout-puissant. Il est bienveillant. Il répond à l'amour humain. Il crée l'univers, le nourrit et le protège, et un jour Il l'accueillera en son être d'où il renaîtra.

La seconde tradition est plus spécifiquement indienne. La réalité dans sa nature fondamentale est au-delà des formes et par conséquent, au-delà de l'atteinte du mental. Si nous parlons vraiment de la réalité *ultime*, celle-ci ne peut être constituée de parties ou posséder des divisions internes, et de ce fait, elle ne peut pas non plus être empreinte de qualités, pas plus qu'il ne peut exister d'autre principe s'opposant à elle. La réalité ne peut être qu'une. Dans cette tradition, le concept de Dieu Personnel – un Brahman possédant des qualités – est valide à son propre niveau, mais ce n'est pas le plus haut Brahman, ce n'est pas la vérité définitive. Celle-ci se trouve au-delà des différentiations dont dépend la notion de Dieu Personnel. Le Brahman le plus haut est *A-dvaita*, c'est-à-dire « non-dualiste », c'est-à-dire au-delà de la division entre sujet et objet. Ici, la conception de Brahman est impersonnelle ou plutôt supra-personnelle. Brahman est pure conscience ou, comme il est dit parfois, *sat-chit-ananda*, « être-conscience-béatitude », conçue comme une réalité indifférenciée. Les deux traditions trouvent leurs racines dans les Upanishads qui parfois parlent de Brahman en termes personnels et utilisent le pronom masculin, et d'autres fois en termes impersonnels, utilisant alors le pronom neutre.[4]

Bien que la réalité sublime que les Upanishads appellent Brahman soit par elle-même une et unique, du point de vue humain cette réalité sous-tend tout ce existe et apparaît donc sous un nombre infini d'aspects. Les nombreux dieux et déesses de l'hindouisme symbolisent ces différents aspects. Par exemple, Brahma, (à ne pas confondre avec le Brahman sublime) est cette réalité dans son rôle de créateur de l'univers,

Vishnu est considéré comme celui qui préserve et sous-tend l'univers et Shiva est la même réalité considérée comme le principe de transcendance qui, un jour, mettra fin à l'univers. Ce sont là les Trimurti, « les trois formes », et elles ne sont pas tant des dieux différents que différentes manières de regarder le même Dieu. Chacune d'entre elles souligne un aspect ou une fonction particulière de la réalité unique et, pour cette raison, chacune d'elle peut être vue – et est vue par ceux qui la vénèrent – comme représentant cette même réalité. Les formes sont multiples, la réalité est une ; le principe est profondément enraciné dans la pensée hindoue, et a été énoncé au tout début du Rig Véda.

Ils l'appellent Indra, Mitra, Varuna, Agni
Et il est Garutman, ailés par les cieux.
À ce qui est Un, les sages donnent plus d'un titre :
Ils le nomment Agni, Yama, Matarisvan.[5]

Il en est de même pour tous les dieux et déesses ; ce ne sont pas des rivaux mais des aspects d'un principe unique. Le disciple hindou, alors qu'il a généralement une forme particulière de dieu – son *ishta deva* ou déité choisie – sur laquelle se concentrent ses dévotions, passe aisément d'un dieu à l'autre. Un dévot de Shiva par principe vénérera Vishnu si l'occasion se présente, ne voyant en lui qu'une autre expression un peu moins centrale de la même réalité sous-jacente.

La même idée s'applique dans le domaine humain. Krishna et Rama ne sont pas des dieux à strictement parler, mais des *avataras* « descendus » – incarnations humaines de Vishnu, car puisque celui-ci est le « soutien » du monde, c'est lui qui descend ainsi pour le protéger. De la même manière, le gourou ou guide spirituel personnel, peut être considéré comme une incarnation divine – car idéalement, un gourou est celui qui s'est totalement identifié avec sa propre réalité la plus profonde, et cette réalité est, au sein de tout ce qui vit, la divinité elle-même. Ce n'est pas le gourou en tant qu'être humain individuel qui est vénéré et servi, mais le gourou en tant que Brahman, en tant que réalité suprême.

Après ce qui vient d'être dit, on pourrait penser qu'aux yeux des hindous, les formes religieuses sont sans importance. C'est loin d'être le cas. Partout en Inde, ces formes religieuses sont aimées et vénérées et prises entièrement au sérieux. Personne ayant observé les Indiens célébrer avec passion l'anniversaire de la naissance de Krishna ne peut penser que les hindous soient indifférents aux formes religieuses. Et pourtant, il reste vrai que derrière cette vénération, même parmi des hommes et des femmes de milieu très simple, la conscience que la forme qu'ils vénèrent représente un principe surpassant cette forme, est rarement entièrement absente. Ce n'est pas la forme qui est vénérée, mais le dieu considéré comme y étant descendu. Quiconque a observé des villageois indiens vénérer, disons, l'image décorée avec amour de Durga le jour de son festival et ensuite, à la fin des cérémonies, placer cette même image dans un étang ou une rivière où elle se dissout rapidement, sait qu'il en est ainsi. Les formes religieuses, aussi indispensables soient-elles, ne sont pas la même chose que les vérités qu'elles représentent.

Un des effets importants de cette attitude est la tolérance dont il est largement reconnu qu'elle est caractéristique de la perspective hindoue. Comme les autres religions, l'hindouisme est divisé en une multitude de sectes et de mouvements, et personne ne peut affirmer que les rivalités religieuses y soient inconnues. Cependant, les pires pièges du dogmatisme en sont généralement absents. Le choix personnel en matière de religion est universellement respecté ; les guerres religieuses entre hindous sont pratiquement inconnues dans l'histoire. Et le fait de comprendre la nature provisoire des formes religieuses s'étend aux autres croyances. Les hindous considèrent celles-ci comme des voies autres menant au même sommet de montagne, et donc, en règle générale, n'éprouvent pas le besoin de faire du prosélytisme. Aux yeux des fervents adeptes d'autres croyances, cela peut apparaître comme une marque de faiblesse ou d'indifférence, mais c'est là faire preuve d'incompréhension. Cette attitude est le résultat logique de la métaphysique hindoue : *toutes* les formes sont provisoires et au bout du compte irréelles, et cela s'applique aussi bien aux formes de religion qu'à n'importe quoi d'autre. Les Védas eux-mêmes deviennent sans valeur une fois atteint l'état de *moksha* ou libération – pas plus qu'un puits, comme dit la Bhagavad Gita, n'a de valeur dans un pays inondé. 6

En outre, la vérité ne peut qu'être une, de sorte que ceux qui s'en approchent – et, jusqu'à un certain point, c'est le cas de tous les peuples – doivent nécessairement s'exprimer en termes largement similaires, bien que la couleur des différentes cultures varie. Ce qui donne une fausse impression de divergences fondamentales n'est que l'incapacité que l'on a à identifier clairement la signification centrale au cœur des grandes religions et à dégager celle-ci des ajouts culturels et de l'imagerie mythique qui souvent la recouvrent – et, ne l'oublions pas, qui lui donnent vie et puissance. En Europe, où l'unité sous-jacente de la religion a parfois été appelée la Philosophie Éternelle, cette vision n'a jamais été entièrement perdue de vue, mais c'est peut-être à la gloire de l'hindouisme que, nulle part ailleurs qu'en Inde, elle n'a été plus nettement et plus logiquement observée. Donc, loin de nous enfermer dans le cadre d'un système, l'hindouisme, en nous rappelant constamment que notre mental fait lui-même partie du monde-illusion, nous oblige à demeurer ouverts à ce qui se trouve au-delà du mental et du monde dans lequel il réside.

Pour finir, l'hindouisme diffère des religions qui nous sont plus familières par le fait qu'il n'a aucun fondateur – ni Jésus, ni Mohammed, ni Bouddha – et aucun moment dans le temps dont on puisse dire que c'est là qu'il a commencé. L'hindouisme, dit-on, est comme le Gange, le grand fleuve qu'il considère comme sacré et qu'il célèbre comme une déesse. De même que le Gange, il offre ses bienfaits à tous ; les enfants peuvent s'éclabousser et jouer dans ses hauts-fonds, et cependant, les nageurs les plus audacieux et les plus expérimentés ne peuvent en sonder les profondeurs. Ayant ses origines parmi les neiges des sommets de l'Himalaya – des montagnes qui ont toujours été le symbole d'états spirituels élevés – le Gange descend jusqu'au monde des hommes et de la vie quotidienne, apportant le grand flot de ses eaux porteuses de vie aux plaines arides et poussiéreuses de l'Inde du nord. Alors qu'elle progresse, de grands et petits affluents, qui ont aussi leur source haut dans les montagnes, se jettent en elle, gonflent ses flots et se joignent à elle dans son avance vers le but ultime, l'infini de l'océan.

Ainsi en est-il de l'hindouisme. Bien que nous puissions en retracer le cours extrêmement loin dans le temps – c'est la plus ancienne des grandes religions – ses origines premières remontent au-delà même du début de la période védique, trop loin dans le temps pour que nous puissions les discerner. Plutôt qu'une seule doctrine ou un seul système de culte, c'est une large confluence d'idées et d'attitudes. Au cours de son avance, de grands courants tributaires la rejoignent. Quatre de ces courants ont une importance particulière : l'ancienne tradition du Yoga avec la philosophie du Sankhya à laquelle elle se rattache ; le Védanta, « le chemin de la connaissance » issu des sages des Upanishads ; le vaste mouvement *bhakti* ou mouvement dévotionnel ; et enfin la tradition tantrique qui met un certain accent sur l'aspect « féminin » de la réalité. Ces quatre courants, agissant réciproquement les uns sur les autres et unis au noyau védique, constituent les fondements de l'hindouisme, et donnent à ce livre sa structure.

1.
l'arrière-plan védique

Il est difficile d'exagérer l'importance des Védas dans la tradition hindoue. L'ensemble des six *darshana*s, les « points de vue » ou écoles philosophiques hindoues, acceptent l'autorité des Védas. Ceci est particulièrement vrai de l'école qui, de nos jours, est l'une des plus importantes et des plus vigoureuses, à savoir le Védanta, dont le nom proclame sa dépendance à l'égard des Védas. Ce sont les Védas, comme nous l'avons vu, qui distinguent l'hindouisme du bouddhisme : l'hindouisme reconnaît leur autorité, le bouddhisme ne le fait pas.

Si nous nous tournons du côté de la sphère sociale, il en est de même. La structure de la société hindoue repose sur les Védas. Les brahmines, la caste la plus haute des quatre classes qui divisent cette société, n'existent que pour les Védas – pour les interpréter, les préserver et les transmettre, et pour appliquer leurs injonctions. Tout le prestige de la classe brahmine au cours de l'histoire de l'Inde provient des Védas.

Par conséquent, avant de commencer à pouvoir comprendre la société indienne ou la pensée et la religion hindoues, il est important d'avoir une idée de ce que sont les Védas et de leur origine. Pour cela, il nous faut repartir loin dans l'histoire – ou plutôt la préhistoire.

Les Aryens et l'Inde : Théories Opposées

Les origines des Védas remontent aux peuples qui, dans les hymnes du Rig Veda, le plus ancien des premiers textes, se qualifient « d'Aryens ». Leur origine et leur relation à la terre de l'Inde fait l'objet de controverses – peut-être la question non résolue la plus importante dans l'histoire de la civilisation. Deux théories principales s'affrontent.

La théorie la plus ancienne, qui jouit toujours d'une faveur considérable, fut proposée par des experts européens du dix-neuvième siècle, parmi lesquels le célèbre spécialiste allemand de l'Inde, Max Mueller. Selon cette théorie, les Aryens étaient un peuple semi-nomade, venu des steppes d'Eurasie (exactement d'où n'a jamais été précisé) qui, entre 2000 et 1200 av. JC, arriva dans la région qui est actuellement le Pakistan et l'Inde du nord-ouest. Experts dans le soin du bétail et des chevaux, ils avaient probablement été des nomades, du moins sporadiquement, pendant des siècles. Leurs idées religieuses étaient complexes, et la poésie par laquelle ils exprimaient ces idées, était riche en imagerie vivide et en pouvoir dramatique Bien que ne possédant pas de cités, et étant peu intéressés par l'agriculture sédentaire, ils étaient à certains égards avancés. Ils connaissaient l'usage des métaux et pouvaient fabriquer des armes et des outils en bronze. Ils utilisaient déjà des étriers. Leurs chariots de guerre, tirés par deux chevaux rapides, égalaient sans doute tout ce qui existait à l'époque.

C'était, pense-t-on, un peuple guerrier redoutable. Lorsque les vestiges de l'une des premières grandes civilisations du monde, la civilisation de la Vallée de l'Indus, et ceux des deux remarquables cités planifiées d'Harappa et de Mohenjo-daro, furent mis à jour dans les années 1920 dans ce qui est maintenant le Pakistan, il fut suggéré que cette vaste civilisation indigène avait été renversée et détruite par les tribus aryennes, tout comme l'Europe, à la fin de l'Empire romain, fut dévastée par les invasions barbares. Pendant plus d'un siècle, la théorie de l'Invasion Aryenne, comme on en était venu à l'appeler fut reconnue presque universellement ; il ne restait qu'à localiser la terre d'origine de ces premiers envahisseurs de l'Inde.

Cette opinion est de plus en plus contestée. De nombreux experts indiens, et un nombre croissant d'experts Occidentaux, se sentent de moins en moins en mesure d'accepter la théorie d'une invasion aryenne de l'Inde. Ils proposent une théorie différente, avançant que rien dans la littérature védique n'indique que les Aryens n'aient pas été natifs de l'Inde, et qu'aucune preuve archéologique d'une invasion extérieure n'a jamais été découverte. En outre, les hymnes védiques sont remplis de références au grand fleuve de la Saraswati qui coulait jadis à l'est de l'Indus mais qui s'assécha autour de 1900 av. JC, et des photographies prises par satellite ainsi que la recherche archéologique ont montré que la civilisation de l'Indus était centrée non pas le long de l'Indus, mais le long du lit à présent asséché de la Saraswati. Ainsi donc, soutient-on, l'évidence indique que la civilisation de la Vallée de l'Indus et la culture des Aryens dont on sait qu'ils habitèrent la même région et dont les prêtres composèrent les hymnes védiques, étaient *la même seule et unique* civilisation. Les Aryens n'étaient pas tant une race qu'une culture (le mot *Arya* signifie celui qui est noble et dont la conduite est vertueuse). La civilisation de la Vallée de l'Indus *était* la civilisation aryenne dans ses phases finales. C'est le changement climatique et l'assèchement du grand fleuve de la Saraswati, et non pas des envahisseurs venus de l'extérieur, qui ont amené la fin des cités de la Vallée de l'Indus.

Il semble que l'évidence en faveur de cette opinion aille croissant. Si celle-ci venait à être acceptée, cela voudrait dire que la littérature védique ne date pas d'après la civilisation de l'Indus comme on le supposait, mais qu'elle la pré-date, remontant, estime-t-on, au moins à 4600 av. JC, beaucoup plus tôt que les civilisations égyptienne ou mésopotamienne, ou les origines de la tradition biblique. Ceci, bien sûr, changerait l'image tout entière que l'on se fait des débuts de l'histoire de la civilisation.

Quelle que soit l'opinion que nous adoptions, on sait qu'après l'assèchement de la Saraswati, les Aryens se dirigèrent vers l'est jusqu'à l'Inde du nord. La plaine du Gange et la région s'étendant entre les fleuves du Gange et de la Yamuna devinrent leur patrie – Aryavarta, la terre des Aryens. Ici, dans l'une des terres les plus fertiles et les plus productives du monde, leur culture prospéra. Cette région, aujourd'hui l'État de l'Uttar Pradesh, constitue encore le cœur de l'Inde et est le centre du pouvoir politique.

Le sanscrit et les Indo-Européens

La langue que parlaient les Aryens était le sanscrit, et le fait que cette langue ait toujours été en Inde celle du savoir et de la religion est significatif de leur impact culturel. Néanmoins, le sanscrit a cessé d'être la langue parlée de l'Inde du nord il y a plus de deux mille ans. C'est devenu la langue privilégiée, presque secrète, dans laquelle a été débattue et préservée la connaissance ésotérique des brahmines. Jusqu'au dix-huitième siècle, les Européens ont eu du mal à y avoir accès, mais lorsqu'enfin, ils y parvinrent, ils firent une découverte étonnante : il existait des signes indiscutables d'une relation entre le sanscrit, la langue des anciens Aryens, et les langues européennes.

Au cours du dix-neuvième siècle, les experts montrèrent que le sanscrit était apparenté au grec, au latin et à l'iranien ancien, ainsi qu'aux langues germanique, celtique et slave, et à certaines autres. Lorsque nous parlons de *yoga*, par exemple, c'est vraiment notre propre mot, *joug*, que nous utilisons, au sens de harnais, d'assembler. Un navire se dit *naus* en sanscrit, (notre *navigation*) ; un dieu est *deva* (notre *divinité*) la connaissance est *jnana* (notre *gnose*) ; notre mot *trois* est *tri* en sanscrit ; et le mot *père* est *pater* en latin comme en grec, *pitar* en sanscrit. Il existe des centaines de correspondances de ce genre, et elles indiquent, du moins au niveau linguistique et culturel, que les tribus aryennes de l'Inde constituaient une grande famille qu'on en est venu à appeler *indo-européenne,* incluant les vagues successives de peuples migrants – grec, italique, celte, germain, slave – qui pénétrèrent en Europe dans les temps anciens.

Exactement comme il existe des liens linguistiques, il existe aussi des liens entre les dieux védiques et ceux des religions grecque, romaine et germanique. L'un des tout premiers dieux du Rig Véda est *Dyaus Pitar* (« le Père Ciel » ou « Père Cieux ») qui est essentiellement la même déité, et qui va jusqu'à porter le même nom que le Zeus grec (c.à.d *Dyaus*) et le Jupiter romain (c.à.d. *Ju*, une contraction de *Dyaus*, plus le mot *piter*). De même, le dieu védique Varuna correspond à l'Ouranos grec ; et le dieu germanique Thor (d'où provient le mot anglais Thursday) et le dieu védique Indra, bien que leurs noms diffèrent, partagent un certain nombre d'attributs qui révèlent une origine commune.

Ainsi, à un certain moment dans un passé lointain, ces peuples qui vivent à présent dans la plus grande partie de l'Europe et ceux qui vivent en Inde, ont dû entrer en contact ; ils ont dû vivre dans ou près d'un centre qui leur était commun, une patrie, que ce soit la région autour de la Vallée de l'Indus ou, comme le suggère la théorie de l'Invasion, quelque part totalement hors du subcontinent indien. Les hymnes védiques fournissent la preuve la plus ancienne et la meilleure de ce qu'ont pu être les croyances et le mode de vie de ces premiers peuples indo-européens. Ces liens sont d'un intérêt plus qu'académique, car ils nous montrent que la psyché européenne et celle de l'Inde ne sont pas sans parenté. Quand le christianisme – une religion sémite fortement centrée sur l'idée d'un Dieu personnel unique – fut introduit en Europe, il s'épanouit d'une manière quelque peu contradictoire en un panthéon d'anges et de saints, chacun avec ses capacités et son domaine d'intérêt. Le vieux schéma indo-européen que l'on observe chez les dieux de la Grèce et de Rome, des tribus germanique et celte, et de l'Inde védique, s'est réaffirmé. Comme l'écrit Max Mueller : « Nous sommes tous originaires de l'Orient… et en se rendant en Orient… chacun devrait sentir qu'il retourne "chez lui" plein de souvenirs, si seulement il pouvait les décoder. »[1]

La Civilisation de la Vallée de l'Indus

Quelle que soit l'issue du débat concernant la théorie de l'invasion aryenne, il est clair que la civilisation de la Vallée de l'Indus doit avoir contribué à la synthèse que nous appelons à présent l'hindouisme. Remontant à au moins 3000 av. JC, cette civilisation était comparable aux civilisations contemporaines de l'Égypte et de la Mésopotamie, et l'on sait qu'elle a eu des échanges commerciaux avec ces dernières. Plusieurs faits émergent qui vont dans le sens de ce qui allait finalement devenir l'hindouisme. Le fait le plus évident est un culte du principe créatif mâle, symbole peut-être, mais pas seulement, du pouvoir sexuel. On le voit dans les représentations symboliques du phallus de pierre polie (appelé en Inde *lingam* dans une période ultérieure) ; de fréquentes images d'animaux mâles à cornes tel que le taureau ; et de petites statuettes d'un dieu masculin, parfois à trois visages, coiffées de cornes et assises dans ce qui pourrait être une position de yoga. On trouve aussi des objets associés à la fertilité tels que des serpents et ce qui semble être un arbre sacré. Dans les villes, le système sanitaire est planifié, complexe et unique à l'époque ; et cela semble indiquer une attention portée à la pureté personnelle, à l'ordre social et au rituel du bain. Même les *lingams* stylisés suggèrent non pas l'indulgence sexuelle mais la discipline et l'ascétisme.[2]

Plus de mille ans après la disparition de la civilisation de l'Indus, nous retrouvons ces éléments lorsque l'hindouisme émerge de la matrice des anciennes pratiques religieuses sous une forme reconnaissable. Dans le culte de Shiva, qui ne fait pas partie des premières déités védiques (bien que ce soit le cas de Rudra qui s'est plus tard fondu avec Shiva), dont le symbole est le *lingam* et qui a pour compagnon un taureau blanc, nous observons peut-être une réémergence partielle du dieu mâle de la civilisation de l'Indus.[3] Les serpents, appelés *nagas,* et les arbres sacrés prédominent dans l'hindouisme populaire, alors que le bain rituel et les idées de pureté rituelle sont des caractéristiques marquées de la société hindoue.

Mais même, il est impossible d'avoir la certitude que tous ces traits représentent des survivances de la civilisation de l'Indus. Il existait de nombreux autres peuples dans tout le reste de l'Inde. Lors de leur avance vers l'est et le sud, les Aryens firent état de rencontres avec des hommes à la peau sombre qu'ils appelèrent *Dasyu* ou *Dasas,* dont certains sont peut-être les groupes tribaux d'aujourd'hui, qui ont survécu. Un grand nombre d'éléments populaires ont dû pénétrer l'hindouisme à partir de ces sources. Un exemple notable est peut-être la forme de Krishna Gopala, « Krishna le vacher », qui contraste avec le Krishna princier de la littérature épique, et avec lequel il fut plus tard assimilé. La majeure partie de la tradition tantrique en est un autre exemple.

Les Quatre Classes du Système des Castes.

Un trait commun aux différents peuples indo-européens est leur tendance à diviser la société en trois classes principales. Tout d'abord, par ordre de précédence, vient la prêtrise (les brahmines de l'Inde, les flamens de Rome, les druides des celtes; en second, celle des guerriers et des gouvernants (les kshatriyas de l'Inde, parfois aussi appelés rajanyas); et troisièmement, les producteurs de richesse économique – agriculteurs, marchands et artisans (les vaishyas). Ce modèle existait parmi les royaumes aryens de l'Inde, et à celui-ci fut ajouté très tôt un quatrième groupe. Celui des peuples indigènes assujettis souvent appelés, nous l'avons vu, *Dasyus* ou *Dasas*. Ceux-ci sont devenus les shudras, les serfs et les travailleurs. Le Rig Véda décrit la combinaison quadripartite qui en a résulté :

> Lorsque les Dieux eurent découpé l'Homme,
> Comment en disposeront-ils (les parts) ?
> Que devint sa bouche ? Que devinrent ses bras ?
> Comment furent appelés ses cuisses et ses pieds ?
> Sa bouche devint le brahmine ;
> Ses deux bras, le noble (kshatriya) ;
> Ses deux cuisses, le producteur (vaishya) ;
> Le serf (shudra) quant à lui naquit de ses deux pieds.[4]

Telles sont donc les quatre classes ou *varnas* qui divisent l'Homme en tant qu'archétype, le *Purusha*. Ces divisions visent à présenter les différentes natures d'hommes, et la forme naturelle de société qui en résulte. Ces divisions n'étaient pas rigides et un homme pouvait, bien que ce fût inhabituel, passer d'un *varna* à l'autre. La place élevée accordée aux brahmines est une façon de reconnaître la valeur de l'aspect spirituel et intellectuel de l'homme, en contraste avec les prouesses politique et militaire (les kshatriyas) et les compétences en matière économique (les vaishyas). Quelles que puissent être en pratique les fautes des brahmines, l'idéal qu'ils représentent est un idéal élevé : celui de l'homme dont la vie tout entière est consacrée aux poursuites spirituelles et intellectuelles ainsi qu'à la préservation et à la transmission du précieux héritage de la connaissance.

Cette division en quatre *varnas* ou classes forme encore la base de la société hindoue, mais au cours du temps, un autre principe, social et non pas religieux dans son origine, s'est confondu avec lui. Il s'agit du principe du *jati* (« naissance »), et c'est ce terme, et non pas celui de *varna*, qui se traduit correctement par « caste ».[5] Alors que les quatre *varnas*, les quatre grandes classes de la société hindoue, furent validées par les Védas et qu'elles demeurent stables et intangibles, les *jatis* changent selon les conditions sociales. Au cours des bouleversements des dix-huitième et dix-neuvième siècles, un grand nombre de nouvelles castes ont pris naissance, de sorte que leur nombre total a maintenant dépassé les trois mille. De ce fait, le vaste et mouvant puzzle des groupements raciaux, des traditions, et des commerces et professions hérités qui constituent la société indienne, est devenu un schéma formel de relations.

Le *jati* ou système des castes, par nature purement social, a été légitimé par la stratégie qui consiste à le rattacher aux quatre classes ou *varnas* (eux-mêmes légitimés par les Védas), de sorte que les *jatis* apparaissent à présent comme leurs subdivisions. L'ensemble du système a été ainsi rattaché à l'hindouisme dans l'esprit populaire et dans celui de nombreux observateurs étrangers, mais en réalité, il n'a pas grand-chose à voir avec lui. Le système des castes est un phénomène social sous une mascarade de religion.

La littérature védique

Le mot Véda signifie « un corps de connaissance » et les Védas, comme la Bible, sont une compilation de nombreux textes. Plutôt que de les regarder comme un livre, nous ferions mieux de les considérer comme une bibliothèque. Les différentes parties des Védas se sont accumulées au fil du temps pendant une période encore plus longue que dans le cas de la Bible – peut-être deux mille ans ou, selon des estimations indiennes, pendant encore plus longtemps.

Ces textes ne furent pas écrits mais transmis oralement. Les Védas étaient précieux et puissants. Ils étaient la clé de ce qui était le plus important dans la vie. Ils furent confiés aux brahmines, et les transcrire serait revenu à trahir cette confiance. Une fois qu'une chose est écrite, elle existe sous une forme matérielle, ouverte à toutes sortes de vicissitudes ; n'importe qui peut s'en emparer, l'utiliser à ses propres fins, mal l'interpréter ou la corrompre. Ce n'est que dans les siècles récents que cette attitude s'est relâchée. Auparavant, la totalité des Védas était transmise oralement, ses différentes sections apprises par cœur par les brahmines, ainsi que par diverses familles et des écoles spécialisées. Cette mémorisation se faisait avec une grande précision – nous le savons car la tradition de la transmission orale existe encore en Inde. D'où le nom de *shruti*, donné au Véda « ce qui est entendu », ce qui a été transmis par la tradition immémoriale.

Il existe quatre Védas, appelés Rig, Sama, Yajur et Atharva Védas. Parmi ceux-ci, le Rig Véda, qui contient les grands chants de louange adressés aux dieux des époques antérieures, est le plus ancien et de loin le plus important. Le Sam Véda est en grande partie un arrangement différent du même matériel, réalisé à des fins spécifiquement liturgiques ; le Yajur Véda contient les formules sacrificielles et est d'un intérêt plutôt spécialisé ; enfin l'Atharva Véda, qui fut ajouté aux trois autres à une date ultérieure, contient des formules magiques et des incantations, et semble provenir de la religion populaire. De notre point de vue, c'est le Rig Véda qui est d'un réel intérêt, et les trois autres peuvent être écartés.

Chaque Véda possède quatre niveaux distincts de textes accumulés au cours de différentes époques et correspondant à des périodes successives de développement religieux. Le niveau le plus ancien consiste dans les textes appelés Samhitas. Ceux-ci constituent le cœur des quatre Védas, la première collection de vers autour de laquelle le reste s'est développé. Ainsi, le Rig Véda Samhita (généralement appelé plus simplement Rig Véda) qui chante les louanges des dieux anciens, contient ce qui est probablement le matériel le plus ancien des Védas. Après quoi, viennent les Brahmanas, nommés d'après le *varna* ou classe qui leur a donné naissance.[6] Ce sont des commentaires et instructions pour les sacrifices offerts aux dieux. Les deux derniers niveaux sont les Aranyakas et les Upanishads, mais, du fait que les premiers constituent une transition entre les Brahmanas et les Upanishads et ne possèdent pas un caractère nettement marqué, on peut ne pas en tenir compte en ce qui nous concerne. Les Upanishad, par ailleurs, sont d'une grande importance. Ainsi donc, nous avons, de fait, établi trois niveaux de textes correspondant aux trois phases distinctes de la religion védique.

Le Rig Véda

La phase première de la religion védique est celle qui correspond au cœur initial des Samhitas, en particulier celui du Rig Véda. Le Rig Véda Samhita est une collection de 1028 poèmes, hymnes de louange et suppliques adressés aux *devas*, les dieux du panthéon aryen. Ils sont divisés en dix livres qui, à l'origine, pourraient avoir appartenu à des familles brahmines, chaque génération préservant et transmettant les chants anciens et peut-être en ajoutant quelques-uns de plus. Les hymnes étaient chantés ou psalmodiés selon des règles rigoureuses et faisaient partie du rituel sacrificiel. Exactement à quand remontent ces chants ? Personne ne le sait avec certitude, mais tout le monde s'accorde pour dire qu'ils sont extrêmement anciens. Par le passé, la plupart des spécialistes occidentaux les faisaient remonter entre 1500 et 1200 av. JC, mais certains chants pourraient être encore plus anciens.[7] Le Rig Véda Samhita a été qualifié non sans quelque raison de « livre le plus ancien du monde ».

Les chants du Rig Véda sont difficiles à interpréter, mais il est clair que le cosmos est contrôlé par les *devas*, les dieux. Bien que leur existence soit de loin supérieure à celle des hommes, ce ne sont pas des réalités absolues : faisant, comme les hommes, partie de l'univers tel qu'il existe, elles sont finalement mortelles. Les *devas*, en dépit du fait qu'elles puissent entrer en contact avec les hommes – et entrent en contact avec eux – existent sur un autre plan. Les énergies et l'intelligence divines primordiales parviennent à travers elles jusqu'au niveau de l'existence matérielle qu'elles dirigent et contrôlent.

Bien que les *devas* soient conçues en termes personnels, la réalité ultime qui se trouve derrière elles ne l'est pas. Plus fondamentale et plus réelle que les dieux est la loi divine appelée *rita*. *Rita* est l'ordre inhérent à tout ce qui est, l'harmonie qui intègre le cosmos, la loi de l'univers. Une fois de plus, cette idée remonte à l'héritage indo-européen commun.[8] Dans l'hindouisme de la période ultérieure, *rita* se fond avec l'idée de *dharma,* la nature innée des choses, la loi de notre être propre. Vivre en accord avec le *dharma* revient à vivre fructueusement et bien ; agir à son encontre est, à long terme, autodestructif.

De nombreux passages dans le Rig Véda demeurent d'une grande importance pour les hindous. Par exemple, l'hymne célèbre appelé *Purusha Shukta*, récité encore chaque jour dans des millions de foyers hindous ; et un autre vers, connu de par son rythme comme le Gayatri, et considéré comme contenant le Véda tout entier sous une forme concentrée.[9] Également important, car il aborde l'une des grandes questions métaphysiques et anticipe la pensée hindoue ultérieure, est le fameux hymne à la création du Rig Véda. Le poète y examine comment, de l'Absolu dénué de conditions, peut naître un univers conditionné.

En ce temps-là, le Non-Être n'existait pas, ni l'Être ;
ce monde-ci n'existait pas, ni l'autre qui est au-delà.
Qu'est-ce qui enveloppait ? Quoi ? Ou ? Sous la garde de Qui ?
Y avait-il de l'eau, abyssale, insondable ?

Il n'y avait alors ni la Mort, ni la Vie ;
ni partage entre le Jour et la Nuit.
L'Un respirait le Non-Vent, par son seul pouvoir,
car il n'y avait rien d'autre que Cela, en ce temps-là.

La Ténèbre, au commencement, était couverte par la Ténèbre ;
il n'y avait que l'Eau, indistincte.
Et l'Un, par le seul pouvoir de son ardeur (tapas),
y prit naissance,
Principe-en-devenir que le vide recouvrait.

Au commencement, Cela qui était
la semence première de la Pensée, se mua en Désir :
les sages, cherchant en leur cœur,
découvrirent intuitivement que le lien de l'Être (se situait) dans le Non-Être.

Qui donc le sait ? qui pourrait l'affirmer ici,
d'où elle est née ? (oui) d'où, cette création ?
Les Dieux sont en deçà de cette création :

> qui donc sait à partir de quoi elle s'est développée?
>
> À partir de quoi cette création s'est développée;
> et si elle a été fondée, ou non;
> Celui qui la regarde du plus haut du ciel
> le sait sans doute – ou peut-être ne le sait pas?[10]

Les problèmes auxquels s'attaque ce poème sont, encore de nos jours, des problèmes philosophiques, aussi bien en Orient qu'en Occident. À partir d'autres hymnes, les experts sont arrivés à reconstruire plusieurs des mythes aryens, mais la vraie signification de la religion védique originelle et des intuitions spirituelles qu'elle incarnait, est plus difficile à déterminer. Ce qu'on peut dire c'est qu'il est peu probable que son véritable contenu ait été limité à la signification superficielle des textes, ou même à leur signification symbolique immédiatement apparente. Les dieux tels que Savitri et Surya (deux aspects du Soleil) ou Agni (le Feu) ne représentent pas simplement des phénomènes naturels: ce sont des principes spirituels, des aspects de la réalité suprême qui se trouvent derrière les phénomènes naturels et qui les engendrent. Ce n'était pas tant le Soleil physique qui était considéré comme précieux et qui était vénéré, mais le principe de la lumière, et par conséquent, de la conscience qui se manifeste – le Soleil dans le cœur, qui éclaire et donne sens et beauté au monde tout entier.[11]

Cette façon de comprendre le cosmos s'est perpétuée depuis le Rig Véda jusqu'à nos jours. Un expert contemporain a écrit : « Ce n'est pas seulement un vestige de superstition quand les hindous offrent des louanges et des prières au soleil levant dans leurs prières matinales. De nombreux Indiens modernes parmi ces adorateurs du soleil connaissent les propriétés physiques du soleil, la température à sa surface et sa composition chimique. Leur dévotion ne s'adressent pas au corps astronomique ni à l'idée symbolique, mais à la *surya-deva*, la réalité métaphysique à travers laquelle un aspect de la réalité suprême s'actualise pour les êtres humains. »[12]

2. le sacrifice et les Upanishads

Dans toute la tradition hindoue, depuis les premiers hymnes védiques jusqu'à présent, deux thèmes se retrouvent tout au long. Le premier concerne l'ordre du cosmos et son maintien en existence. Il trouve son expression dans les formes d'activité rituelle et le concept du prêtre brahmine. Le second est la recherche du salut personnel ou *moksha* « délivrance ». Il conduit à la spéculation philosophique et au mysticisme, ainsi qu'au concept du *rishi* et plus tard, du gourou. Le premier de ces thèmes trouve son expression la plus complète dans les Brahmanas, le second dans les Upanishads.

Les Brahmanas

Les Brahmanas sont les textes qui correspondent à la période du milieu de la religion védique. Alors que les vers sacrés des Samhitas étaient transmis, autour d'eux se forma une couche de commentaires qui, avec le temps, devinrent les Brahmanas. Tandis que le langage précis des textes du Samhita était soigneusement préservé, des variations se sont introduites dans ce nouveau matériel parmi les différentes écoles. C'est ainsi que plusieurs Brahmanas différents sont venus s'attacher à chacun des Samhitas, et la littérature brahamana s'est accrue dans des proportions considérables. Les Brahmanas représentent une période où l'influence de la caste des brahmines était à son apogée et où la religion védique tendait à se rigidifier. Les érudits occidentaux estiment généralement que cette période remonte entre 900 et 500 av. JC – les Indiens à beaucoup plus tôt – mais quoi qu'il en soit, il est clair que ces textes représentent les interprétations d'un âge ayant dans l'ensemble précédé les Samhitas.

L'Idée du Sacrifice

Les Brahmanas s'intéressent à l'équilibre entre les forces cosmiques. La clé pour maintenir cet équilibre était les sacrifices. Les sacrifices que les prêtres brahmines offrent régulièrement aux dieux maintiennent l'ordre cosmique, et l'individu au nom duquel le sacrifice est accompli est récompensé par les dieux, soit dans cette vie, soit dans l'autre. Au cours de la période védique, il n'existait pas d'images des déités et il n'y avait pas de temples. Un autel strictement conforme à un modèle symbolique était érigé en plein air pour chaque occasion, et le poteau auquel l'animal sacrificiel était attaché était considéré comme l'axe cosmique reliant les mondes inférieur et supérieur. Il existait différentes sortes de sacrifices, allant des grands sacrifices tels que *l'ashva-medha* ou Sacrifice du Cheval, que pouvait offrir un roi, et qui prenait plusieurs mois et exigeait d'immenses ressources pour le préparer, jusqu'aux oblations quotidiennes avec le recours à des aliments tels que le riz, le miel, le beurre et le lait caillé. Les dieux attirés sur l'autel par les chants de louange et les psalmodies des prêtres, recevaient la nourriture et autres dons par le biais du feu sacrificiel. On croyait à cette époque que les dieux, dont l'expression se trouve dans les grandes énergies du cosmos, dépensaient leur force pour assurer le maintien de l'univers ; l'accomplissement régulier des sacrifices les sustentait à leur tour et renouvelait leurs pouvoirs.

La religion du sacrifice apparaît souvent comme une religion pas très élevée, comme un marchandage avec les dieux, mais c'est là réellement une dégénérescence de l'idée première. Derrière les sacrifices de la religion védique, il y a la reconnaissance du fait que l'univers tout entier est en lui-même et de par sa nature un sacrifice immense et permanent. Le monde des plantes se sacrifie aux animaux, et les animaux se sacrifient les uns aux autres et aux hommes. Notre propre être physique est devenu possible grâce aux sacrifices de nos ancêtres, et c'est notre propre sacrifice qui nourrit nos enfants. Les cinq éléments du monde matériel – l'éther, l'air, le feu, l'eau, la terre – ainsi que les *devas* qui les contrôlent, sont engagés dans un sacrifice continuel les uns avec les autres : l'eau érode la terre, la terre absorbe l'eau, etc. La Réalité Suprême sacrifie sa propre nature par l'acte même qui consiste à se retrouver limité dans l'univers manifeste – même si, d'une certaine manière et selon un autre point de vue, sa perfection transcendante ne disparaît jamais. Le sacrifice védique est le microcosme de la destruction et du renouveau incessants de toute la vie et de toute la matière. C'est le sacrifice qui sustente le monde ; c'est lui qui constitue la nature même du monde. L'homme fait partie de ce processus et il doit restituer en même temps qu'obtenir.

Aux yeux des brahmines, l'existence tout entière formait un tout relié par une série de correspondances dont le sacrifice était la clé. L'autel du feu védique était vu comme une image de l'univers, et le sacrifice comme une offrande déguisée de soi : le cœur est l'autel, l'homme extérieur, le sacrifiant, et l'homme intérieur purifié, la flamme.[1] Un vers du Rig Véda décrit le sacrifice du Purusha, l'Homme Cosmique, le comparant aux éléments du sacrifice des saisons :

> Quand les Dieux tendirent le Sacrifice
> avec l'Homme pour oblation,
> le printemps fut le Beurre (ghee),
> l'été son Bois, l'automne son Oblation.
>
> Sur la Jonchée ils arrosèrent la Victime,
> l'Homme, née au commencement...[2]

Ainsi, compris correctement, la totalité de la vie humaine est un sacrifice permanent. La seule question est de savoir si l'on participe volontairement et consciemment au grand processus de sacrifice mutuel qu'est l'univers, en reconnaissant et en affirmant son unité avec le tout, ou si l'on ne comprend pas et que l'on ne participe qu'en tant que victime non-consentante.

La Crise de la Religion Védique

Bien que, dans les Brahmanas, de nombreuses injonctions affirment la nécessité de connaître la signification intérieure des sacrifices, il semble que cette signification ait été de plus en plus obscurcie par l'idée selon laquelle l'expertise des prêtres brahmines pouvait infailliblement produire le résultat matériel ou céleste escompté. Si les sacrifices corrects étaient offerts au moment et à l'endroit propices, les rituels accomplis et les hymnes sacrés psalmodiés avec une précision méticuleuse – un simple mot ou mouvement incorrect rendait le sacrifice inefficace – le dieu concerné était quasiment obligé d'accorder le résultat désiré, car tel était l'ordre des choses.

C'est ainsi que les brahmines dont dépendait la connaissance concernant l'aspect le plus important de la vie et même d'après celle-ci, gagnèrent un prestige et une influence énormes. Mais ce succès avait son prix. Alors que le système sacrificiel tombait dans un ritualisme mécaniste, la signification originelle et l'efficacité spirituelle du sacrifice tendaient à s'obscurcir. Alors que la sensation de vide spirituel s'accroissait, une vague d'inquiétude et de quête semble avoir parcouru l'Inde du nord. Même les objectifs en vue desquels les sacrifices étaient accomplis ont fini par sembler avoir une valeur limitée aux yeux de ceux qui les considéraient de manière plus profonde. Une fois épuisé le capital religieux acquis par les sacrifices, le séjour dans le paradis d'Indra arriverait finalement à sa fin. Alors que l'idée de réincarnation est absente des sections les plus anciennes du Véda, on en est venu à croire que l'on reviendrait sur terre et que le processus tout entier recommencerait à nouveau. Un texte d'origine plus tardive, le Vishnu Purana, avance cet argument sous une forme précise :

> Si vous supposez que les objets affectés par les rites sacrificiels exécutés selon les règles des Védas Rik, Yajur et Sama constituent le grand but de la vie, prêtez attention à ce que j'ai à dire. Tout effet qui vient de la terre partage le caractère de ses origines et est fait d'argile. Ainsi tout acte exécuté avec des moyens périssables, tel le combustible, le beurre clarifié et l'herbe Kusha, doit lui-même avoir un effet provisoire. Le sage considère la grande fin de la vie (ou de la vérité) comme éternelle : mais elle serait transitoire si elle était accomplie par des moyens transitoires.[3]

Néanmoins, la vie humaine comporte nécessairement la souffrance. Même la vie la plus fortunée est régie par le désir, et le désir implique une volonté, une souffrance. « En vérité, le soi incarné fluctue entre le plaisir et la souffrance. Il est certain que le plaisir et la souffrance ne cessent jamais pour celui qui est incarné. »[4] Se pourrait-il alors qu'au-delà de cette vie, au-delà même du paradis d'Indra il y ait un autre ordre d'existence ?

Un ordre d'existence qui soit stable, immuable, et finalement réel ? Un ordre affranchi du désir et donc de la souffrance ? Un ordre qui offrirait une joie sans fin ? Ainsi étaient semées les graines d'un grand renouveau religieux.

L'ancienne religion védique semblait s'être égarée, et une profonde crise ébranla la vie religieuse en Inde. Cette crise devait durer plusieurs siècles, et dans son intensité, se forgea la nouvelle synthèse qu'est l'hindouisme. C'est aussi dans ce contexte que le Bouddha, rompant totalement avec la tradition védique, se fit le pionnier d'une nouvelle voie vers le salut ; et que Mahavira établit la religion Jain. Des idées nouvelles, notamment celle d'*ahimsa*, la non-violence à l'égard de toute créature, se répandent dans la vie religieuse. Des idées et des techniques de salut enracinées dans les traditions autochtones de l'Inde se mettent à ré-émerger. Un peu plus tard, un nouveau théisme commence à se manifester, et des dieux et *avataras* inconnus de la religion védique font leur apparition. Quelques-uns des premiers signes de ces changements sont visibles dans les Upanishads.

Les Upanishads

On a dit que dans les chants du Rig Véda, c'était le poète qui parlait, dans les Brahmanas, le prêtre, et dans les Upanishads, le philosophe et le mystique. Contrairement à une grande partie de la littérature védique des origines, et à une distance de deux millénaires et demi, les Upanishads nous parlent d'une manière directe et immédiate. Dans leurs pages, nous nous trouvons face à un monde apparemment différent du ritualisme soigneusement structuré des Brahmanas. Au lieu de revendiquer une connaissance établie et une méthode infaillible, le ton est celui d'une quête et d'une découverte passionnées. La caste brahmine joue toujours le rôle principal mais elle n'est plus l'arbitre exclusif de la vie religieuse.

Même dans les premières Upanishads, nous trouvons des brahmines venant s'instruire auprès de la classe des kshatriyas qui leur est inférieure. Nous trouvons un jeune garçon, Satyakama Jabala, qui admet que sa mère ne sait pas qui est son père ; le jeune garçon est accepté comme brahmine et considéré comme digne d'être initié simplement sur la base de son honnêteté. Et nous trouvons des femmes telles que Maitreyi et l'érudite Gargi engagées dans de vifs débats avec des sages brahmines renommés. Dans une autre Upanishad, nous lisons que les méthodes sacrificielles sont fragiles et périssables, et que ceux qui les pratiquent, persuadés de leur propre sagesse et de leur connaissance, se trompent « tel l'aveugle conduit par un aveugle ». De telles déclarations étaient inconcevables dans la période précédente.

Le changement entre la pensée des Brahmanas et celle des Upanishads a été qualifié de « probablement l'événement le plus remarquable de l'histoire de la pensée philosophique ». Ce serait cependant une erreur que de considérer les Upanishads comme représentant une rupture avec le passé védique ; le même auteur les a également appelées « la culmination de l'effort intellectuel d'une grande époque. »[5] Bien que les Upanishads marquent la transition entre l'ancienne religion védique et l'hindouisme proprement dit, elles constituent aussi une partie des Védas et sont profondément enracinées dans l'ancienne tradition

Le mot Upanishad signifie « s'asseoir près de » c.-à-d. s'asseoir près d'un maître de manière à entendre ses paroles de ses propres lèvres. Cela implique une transmission personnelle de la connaissance spirituelle, et les Upanishads ont le caractère d'un enseignement intérieur ayant ses origines en marge de l'ancienne religion védique. Ces enseignements étaient transmis oralement par les *rishis* ou sages, souvent des hommes vivants retirés dans la forêt. Accordés progressivement et comme un don précieux, ces enseignements n'étaient impartis qu'à ceux qui étaient considérés comme en étant dignes et de fait, capables d'en saisir la véritable importance. Ces enseignements étaient hautement appréciés, mémorisés et transmis à nouveau de la même manière que le furent les premières parties des Védas. Ainsi furent préservées les paroles des grands *rishis* de la forêt, et les Upanishads entrèrent dans la tradition védique.

La Réalité Ultime - Brahman et Atman

Nous trouvons constamment à travers la littérature védique des gens qui demandent : qu'y a-t-il derrière l'existence, en quoi consiste la réalité immuable sur laquelle tout le reste doit reposer ?

> Dénué de connaissance, ignorant,
> Je demande ici aux sages en vue de la connaissance :
> Qu'était cet Un, sous la forme du non né,
> Qui a établi ces six mondes ?[6]

Des noms divers sont attachés au mystérieux Cet Un : Vishvakarman, « Celui qui fait tout » ; Purusha, « la Personne », l'homme cosmique ; Prajapati, « le Seigneur des Créatures » ; ou simplement Ka, « le Qui ? », mais c'est seulement dans les Upanishads que la réponse est examinée de façon persistante et en profondeur. Les Upanishads consignent les pensées de nombreux sages, mais le mot utilisé pour la réalité ultime est généralement Brahman. Nous avons déjà rencontré des variantes de ce mot dans les termes brahmine et Brahmana. Dans les premières sections du Véda, Brahman signifie ce qui est « grand » ou « vaste », souvent le pouvoir inhérent aux hymnes sacrés et aux sacrifices. Dans les Upanishads, ce concept s'élargit de sorte que Brahman devient le pouvoir sous-jacent à la totalité de l'existence, la source de l'être, la seule et ultime réalité. « En vérité, tout cet univers est Brahman. C'est de Lui que toutes choses tirent leur origine, en Lui qu'elles se dissolvent et par Lui qu'elles sont nourries. »[7]

Cela ne revient cependant qu'à donner un nom au mystère. Les Upanishads tentent d'aller plus loin. Plutôt que de chercher une solution dans le macrocosme, elles se tournent vers l'intérieur. Elles approchent la question à travers une seconde idée, celle de l'Atman. L'Atman est la conscience qui constitue le Soi intérieur et l'être de l'homme et de toutes les autres créatures. C'est la conscience même, pure – non pas la conscience *de* quelque chose, mais la conscience en elle-même, que ne conditionne aucun objet. Elle ne change jamais ; elle est comme un rayon constant de lumière. C'est ce qui rend tout le reste possible, car c'est sur cette base de pure conscience que le monde et tout ce qui existe en lui nous apparaît. Ce Soi ou Atman, la conscience intérieure, est alors la Réalité sous-jacente à la vie et à tout ce qui est manifeste, et elle est donc identique à Brahman. L'Aitareya Upanishad donne la liste de tout ce qui vit dans l'univers – les dieux, les cinq éléments, les créatures nées de l'œuf, des entrailles, l'humidité et la terre, les chevaux, le bétail, les hommes, les éléphants et toutes les créatures vivantes. Elle nous dit alors :

> Tout est guidé par la Conscience, tout est fondé dans la Conscience ;
> L'Univers est guidé par la Conscience.
> La Conscience est la Fondation (Brahman).[8]

Dans la Chandogya Upanishad, nous lisons la même chose. « Ce qui constitue l'essence la plus subtile – ce monde tout entier la possède de par son âme. C'est la Réalité. C'est l'Atman. Tu es Cela. »[9] Ces mots, répétés à neuf reprises dans le texte, forment le cœur du message des Upanishads : *Tat tvam ast*. « Tu es Cela ». – Brahman, la réalité ultime sous-jacente à l'univers, et l'Atman, le tréfonds de la réalité de chaque homme et de chaque être vivant, sont identiques. Un autre texte déclare, « Tu es l'Indestructible, tu es l'inébranlable, tu es l'essence même de la vie. »[10]

Les Deux Oiseaux sur l'Arbre Unique

Bien qu'il soit notre soi lui-même, Atman ou Brahman n'est pas quelque chose que nous puissions connaître au sens normal de la connaissance discursive. Tout ce qu'on peut dire de lui, nous disent les Upanishads, c'est qu'il est *neti, neti*, « pas ceci, pas ceci ». Il n'est pas, et ne peut jamais être un objet de connaissance, parce que, étant le fondement sur lequel l'ensemble du processus de la connaissance se déroule, il procède d'avant la connaissance.

> Ce qu'on ne pense pas au moyen mental,
> Ce par quoi, dit-on, le mental est pensé,
> C'est Brahman, sache-le bien,
> Et non pas ce que l'on révère.
>
> Ce qu'on ne voit pas par l'œil,
> Ce par quoi l'on voit les yeux,
> C'est Brahman, sache-le bien,
> Et non pas ce que l'on révère.[11]

Il y a donc deux domaines : le premier, celui de l'existence empirique et de la connaissance ordinaire, le monde du « nom et de la forme » comme l'appellent souvent les Upanishads ; et derrière celui-ci, l'ordre de réalité tout à fait différent auquel l'esprit n'a pas accès et qui est Brahman – ou, lorsqu'évoqué par rapport à l'homme, Atman. Cette idée de deux ordres de réalité au sein de l'homme existait déjà à une époque très antérieure sous une forme embryonnaire dans la pensée védique. Dans le Rig Véda, nous lisons :

> Deux oiseaux, associés, amis,
> Ont embrassé le même arbre :
> L'un des deux mange la douce figue,
> L'autre regarde intensément sans manger.[12]

Comme l'ont compris les sages des Upanishads ainsi que, plus tard, les penseurs de l'école de l'Advaita Védanta, ces deux oiseaux posés sur l'Arbre de Vie sont le Soi ou l'Atman (l'oiseau qui « regarde intensément sans manger ») et le soi empirique, quotidien de l'homme, l'individu qui fait l'expérience ou mange les fruits de la vie. C'est ce dernier soi, le terme indien est *jiva*, avec lequel nous nous identifions à tort, et c'est là l'erreur dont découlent toutes les autres et toutes les souffrances. Dans un prochain chapitre, nous verrons comment le Védanta développa cette idée.

3. les Dieux hindous : la Trimurti

L'idée de Brahman qu'avancent les Upanishads n'est pas une idée qui puisse satisfaire les exigences de l'esprit. La « connaissance » dont parlent les Upanishads est d'un autre ordre. On ne peut connaître Brahman-Atman qu'en s'identifiant avec celui-ci, par l'intuition directe. Cette connaissance est hors de la dualité sujet/objet et il n'est possible d'en parler qu'en termes de relations. Elle est *Nirguna*, « sans qualités » d'aucune sorte, car ces qualités limiteraient sa nature absolue. Étant donné que l'esprit ne se préoccupe que des relations et des qualités, la réalité de Brahman doit rester à jamais hors de sa portée.

Il n'est par conséquent pas surprenant que, dans la période qui succéda aux Upanishads, l'idée de Brahman ait pris des formes que l'imagination et l'esprit humains pouvaient saisir. Il en résulta un fort développement du théisme, au cours duquel les dieux et les déesses qui caractérisent l'hindouisme d'aujourd'hui ont trouvé la plus grande partie de leur caractère. Nombre de ces déités ont des origines védiques, mais on les envisage maintenant non pas par rapport au sacrifice, mais comme diverses expressions de la Réalité unique qui pénètre tout. Le Vishnu Purana, un texte provenant de la fin de ce processus (environ le quatrième siècle de notre ère) énonce le principe dans un passage frappant :

> Le flamboiement du feu en un point diffuse la lumière et la chaleur. Le monde n'est rien de plus que l'énergie manifestée du Brahman Suprême. Et de même que la lumière et la chaleur sont plus fortes ou plus faibles, selon que nous nous sommes proches ou éloignés du feu, Brahma, Vishnu et Shiva sont les énergies divines les plus puissantes. Près d'eux sont les déités inférieures ; puis les esprits qui les assistent ; puis les hommes, les animaux, les oiseaux, les insectes, les plantes, chacun d'eux s'affaiblissant de plus en plus, dans la mesure de son éloignement de sa source.[1]

Ainsi Brahman et tous les dieux et déesses, de même que l'homme et tout le reste de l'univers, font partie d'un continuum. Les déités hindoues ne sont pas considérées comme des puissances rivales et séparées, mais comme des fonctions différentes, des aspects différents, des manières différentes de comprendre et d'approcher la Réalité unique. Quand Brahman est considéré de cette manière, on Le dit *Saguna*, « doté de qualités », et l'on pense qu'Il se révèle à ceux qui se tournent vers Lui. C'est là la raison de l'existence d'un grand nombre de dieux et déesses, dont chacun peut être considéré comme la Réalité Suprême. Le vieux principe, *à ce qui est Un, les sages donnent bien des noms*, est toujours vivant, et en considérant la Réalité Suprême de différentes manières, nous pouvons en construire une image beaucoup plus complète qu'il ne serait autrement possible. Cependant, certaines de ces formes sont plus proches que d'autres des fonctions centrales à cette Réalité, et la plus importante parmi ces formes est la Trimurti ou « Trois Formes » de Brahman – les dieux Brahma, Vishnu et Shiva. Mais avant de nous tourner vers eux, il sera utile de considérer certains des principes utilisés dans la représentation des déités hindoues.

L'Imagerie Hindoue

La chose qui frappe peut-être en premier lieu l'observateur occidental en ce qui concerne les déités hindoues est la multiplicité de leurs membres. Les écrivains du dix-neuvième siècle ayant grandi avec la sculpture grecque les trouvèrent grotesques et inexplicables. Pourtant, la raison pour laquelle les déités hindoues sont représentées de cette manière est très simple : c'est pour montrer qu'elles sont des dieux, qu'elles diffèrent des êtres humains et possèdent davantage et de plus grands pouvoirs. Ainsi Vishnu est habituellement montré avec quatre bras, mais ses *avataras* ou incarnations, Rama et Krishna, qui ont des formes humaines, sont invariablement représentés avec deux bras.

Le recours au symbolisme s'étend à chaque détail de l'image d'une déité. Chaque dieu ou déesse tient certains objets – le disque de Vishnu, l'épée de Durga, les deux lotus de Lakshmi – et à chacun de ces objets s'attache une signification précise. Chacune des principales déités est associée à un animal ou un oiseau qu'il ou elle souvent chevauche. C'est le « *vahana* » ou porteur du dieu, et il constitue une nouvelle manière de symboliser la qualité dominante de la déité. Ainsi Vishnu a l'oiseau solaire Garuda, Shiva le taureau blanc Nandi, Ganesh un rat, Durga un lion. Pour finir, il y a des gestes appelés *mudras* que font les dieux, et qui forment aussi un trait important de la danse indienne. De tels gestes sont vus comme porteurs de pouvoir. Les plus fréquents sont les *abhaya mudra* qui signifie « ne craint pas », et le *varada mudra* ou geste signifiant « celui qui octroie des faveurs ».

De cette façon, chaque aspect de l'image d'une déité acquiert un sens. Ce n'est pas simplement un bel objet, mais une déclaration complexe, un produit de l'intellect. « L'image d'une déité est simplement un groupe de symboles, et aucun élément de cette forme ne devrait provenir de l'invention d'un faiseur d'images. Chaque particularité de l'attitude, de l'expression ou de l'ornementation est significative et vise à être un objet propre à la méditation. »[2]

Voyons comment ces principes s'appliquent à la Trimurti, les trois grands dieux qui forment Brahman considéré par rapport aux trois phases du processus du monde. Ce sont, comme nous l'avons vu, Brahma (la forme masculine et personnalisée du mot Brahman), Vishnu, et Shiva. Brahma est le dieu créateur, Vishnu celui qui préserve l'univers ; et Shiva, le principe qui, se détournant du monde, le transcende et en ce sens, en provoque la destruction.

Brahma, Le Créateur

Brahma est représenté avec quatre visages. Ceux-ci sont tournés vers les quatre directions de l'espace, car c'est lui qui a donné à l'ensemble de l'univers son existence. Avec ses quatre bras, Brahma tient un rosaire, représentant le temps, un pot d'eau – puisque l'eau, étant sans forme, symbolise le pouvoir potentiel de créer ; un instrument sacrificiel, car c'est par le sacrifice que le monde prend naissance ; et finalement, un livre, car en tant que Créateur, il rend possible toute la connaissance. – Brahma, en fait, est parfois assimilé à l'esprit humain et au pouvoir de la pensée.

La consort de Brahma est la déesse Vac (« la parole »), appelée aussi Saraswati. C'est la superbe déesse de la parole avec son immense pouvoir ; celle qui octroie l'intelligence protégeant l'ensemble des arts et des sciences. Son *vamana* ou porteur est l'*hamsa,* l'oie sauvage qui vit dans les lacs d'Asie Centrale au-delà de l'Himalaya, symbole de l'âme en pèlerinage qui, un jour, s'envolera vers sa vraie patrie.

Brahma offre un exemple des processus de transformation dans l'hindouisme. Il ne reste dans toute l'Inde qu'un seul temple dédié à ce dieu, qui fut jadis grand. Deux développements sont la cause de cet état de choses. D'abord, une grande acceptation, qui n'est cependant pas universelle, de l'idée que le monde dont nous faisons l'expérience n'a qu'une réalité provisoire et est donc non créé en termes absolus. Et deuxièmement, la croyance selon laquelle le Dieu Suprême (spécialement lorsqu'il est conçu comme Shiva) possède une contrepartie féminine, sa Shakti ou « pouvoir », d'où découle toute activité. Le culte de la Shakti – ou Mahdevi, la Grande Déesse » – en tant que principe créatif ayant produit l'existence de l'univers, a rendu Brahma superflu. Dans un prochain chapitre, nous verrons que son culte au sein de l'hindouisme est le troisième en importance, après seulement le culte de Shiva et celui de Vishnu.

Vishnu, Celui qui Préserve

Vishnu a cru en importance tandis que l'importance de Brahma a décru, et pour une grande partie des hindous, Vishnu est la déité suprême, Dieu lui-même. Le mot Vishnu signifie « celui qui anime », et Vishnu est considéré comme à la fois immanent en ce monde et comme la Réalité transcendante. Il est représenté comme étant d'une couleur bleue, comme l'espace infini. C'est aussi la couleur des nuages de pluie qui, au début de la mousson, apportent soulagement et joie à la terre brûlée – la pluie tombant des cieux pour donner vie à la terre est, dans de nombreuses cultures, un symbole de la grâce. Vishnu est le plus souvent représenté debout et de face. Cette position de pilier, que l'on retrouve également dans les images du Buddha, se réfère au rôle de Vishnu en tant que Sustentateur des Mondes. Il fait écho à une idée ancienne, celle du pilier de l'univers, l'axe spirituel qui traverse verticalement les divers niveaux de l'existence et soutient l'univers.

Dans ses quatre bras – qui représentent sa souveraineté universelle – Vishnu tient habituellement une conche, un disque, une masse et une fleur de lotus. La conche fait allusion au rôle de Vishnu en tant qu'origine de l'existence. On le trouve dans l'eau qui, nous l'avons vu, symbolise le pouvoir potentiel de créer, avant la manifestation. Souvent, au début des cérémonies hindoues, quelqu'un souffle dans une conche, et sa note profonde et puissante est associée au son primordial OM dont on dit qu'il contient à l'état potentiel toute la création.[3]

Le disque ou *chakra* signifie l'Esprit Cosmique qui donne leur existence aux formes multiples de l'univers (dans certaines représentations, le disque ne cesse de tournoyer, bien que cela soit incommunicable en sculpture). « Vishnu tient dans sa main, sous la forme du disque, l'esprit dont les pensées volent plus vite que les vents. »[4] Dans le vaishnaisme (le culte de Vishnu), le monde est presque toujours vu en termes positifs, et l'esprit est ici considéré de manière positive comme un instrument de libération. « Le pouvoir prodigieux de l'esprit est capable de détruire toute forme d'ignorance ; de ce fait, le disque est l'arme effrayante qui coupe les têtes de tous les démons, de toutes les erreurs. »[5] La masse est le pouvoir du temps qu'exerce Vishnu. Enfin, le lotus est le monde dont la beauté émane de l'être de la Réalité Suprême. Tout comme le lotus enraciné dans l'obscurité des profondeurs boueuses surgit pour flotter à la surface, une image de pureté ouverte à la lumière solaire, de même le monde surgit mystérieusement des profondeurs du non-manifeste et s'ouvre à la lumière de la conscience qui anime toutes choses.

Shiva, le Seigneur de la Danse

L'iconographie hindoue s'est cristallisée en quelques images d'une puissance particulièrement grande. Shiva Nataraja, Shiva, « le Seigneur de la Danse », est l'une d'entre elles. C'est une image de l'activité de Dieu – de l'énergie rythmique primordiale qui anime l'univers issu du centre immobile de la Réalité.

Comme dans le cas de Vishnu, Shiva, lorsqu'il est considéré comme le Dieu suprême, inclut en lui-même chacune des trois fonctions de la Trimurti. Une fois encore, il possède quatre bras en signe d'universalité, et dans sa main droite supérieure, il tient un petit tambour. C'est le Son, qui correspond à la création. Du point de vue hindou, c'est par le son – considéré soit comme la parole (Vac) et de là, l'intelligence et le pouvoir de différencier, soit plus fondamentalement encore, simplement comme vibration – que tout prend naissance. Le Son est vibration et l'on peut dire que la matière tout entière consiste en vibrations. Quand nous perdons conscience, l'audition est notre dernier contact avec le monde, et le premier quand nous reprenons conscience. Le rythme que bat Shiva sur son tambourin est le rythme qui bat au cœur de l'univers – le rythme des corps célestes, le rythme de la création et de la dissolution, le rythme de chaque vie. C'est sur ce rythme primordial que danse Shiva et que toutes choses prennent naissance et se dissolvent.

Symétriquement à l'opposé du tambourin, Shiva tient une flamme en équilibre sur la paume de sa main gauche supérieure. Cette flamme symbolise la destruction du monde et représente Shiva dans son aspect le plus caractéristique, le Destructeur des Formes. C'est la flamme du lieu de crémation, symbole de ceux qui « meurent » au monde. En Inde, ceux qui ont renoncé au monde portent des robes de la couleur du feu. Mais par la même occasion, la flamme est le symbole de la transformation, car seule la forme est détruite et la

Réalité qui l'anime (et que la forme semblait limiter) est libérée. Loin d'être négative, la flamme qu'élève Shiva est suprêmement positive. C'est la flamme où sont consumées les limitations de l'existence individualisée lorsque l'esprit purifié s'élève vers l'infini.

Cependant, la danse de Shiva contient tout, incluant aussi bien les processus de la vie que ceux de la transformation. Alors que les deux bras supérieurs de Shiva Nataraja symbolisent la création et la destruction – ou la manifestation et la libération – de même la main droite inférieure s'élève dans le geste divin « ne craint pas » (*abhaya mudra*), le geste de la bienveillance, de la sauvegarde et de la protection. Ici, nous voyons Shiva absorbant la fonction de Vishnu. Autour de ce bras (ou parfois autour de son cou) est enroulé un cobra : les serpents, associés depuis les temps anciens à la terre et à la fertilité, ne sont jamais très loin quand Dieu est considéré en relation avec la continuité de la vie.

Les trois bras que nous avons considérés jusqu'à présent représentent les trois aspects du processus cosmique, la création, la préservation et la transformation ou dissolution. Ces trois fonctions sont liées au sort de l'individu par le quatrième bras de Shiva, le bras gauche inférieur qui passe devant le corps et pointe vers le bas. Le geste appelé *gaja-hasta-mudra*, est assimilé à la trompe ou à « la main » d'un éléphant, et rappelle ainsi à l'adepte hindou du fils de Shiva, le dieu bienveillant et populaire à tête d'éléphant, Ganesh. Ganesh est l'Ecarteur d'Obstacles, et le *gaja-hasta-mudra* indique la compassion et la faveur de Dieu qui nous montre ainsi la voie de la libération. La main est dirigée vers le pied gauche de Shiva, dressé dans le mouvement de la danse : l'aspirant croit qu'en adressant sa dévotion à ce pied, il peut attirer la grâce de Shiva et réaliser la libération que symbolise la flamme qu'il élève. Alors que le pied gauche indique l'aspect positif de *moshka*, le pied droit est l'aspect négatif. Il foule un nain étendu à terre. C'est « l'homme de l'Oubli » – l'oubli tant de Dieu que de notre vraie nature. L'image tout entière de Shiva Nataraja repose sur cette conquête essentielle du principe de l'Ignorance, c'est le fondement sur lequel tout est érigé.

Shiva Nataraja est particulièrement associé avec l'Inde du sud, et les significations que nous avons explorées sont résumées dans un ancien texte tamoul adressé à Shiva :

> O mon Seigneur, Ta main qui tient le tambourin sacré a créé et ordonné les cieux et la terre et les autres mondes et les âmes innombrables. Ta main dressée protège l'ordre conscient en même temps que l'ordre inconscient de Ta création. Tous ces mondes sont transformés par Ta main porteuse du feu. Ton pied sacré, planté au sol, offre un abri à l'âme fatiguée qui se débat dans les peines de la causalité. C'est Ton pied levé qui accorde la félicité éternelle à ceux qui T'approchent.[6]

Telles sont donc les membres du Seigneur Shiva, étincelant dans la danse incessante du cosmos où ses talons marquent les rythmes petits et grands de l'univers. Au-dessus d'eux, en parfait équilibre, est la tête, avec ses longs cheveux déployés par le mouvement de la danse. Examiner les multiples symbolismes de cette chevelure, dans laquelle se trouvent habituellement entrelacés un serpent, un crâne, la forme de sirène du Gange, un croissant de lune et une couronne de feuilles de Cassia prendrait trop de temps. Mais ce qu'il faut noter, c'est le visage de Shiva. Placé au centre au-dessus des membres en plein mouvement, immobile, impassible, tel un masque, il est si détaché qu'il semble presque flotter. Seul un faible sourire joue sur ses lèvres. C'est le visage du Grand Yogi, celui qui connaît les secrets intérieurs de la manifestation. Le contraste entre le calme du visage, et la chevelure et les membres déployés est le même contraste qui existe entre le Soi intérieur et l'esprit sans cesse actif et son monde. Ici, totalement calme au cœur de la danse, c'est le témoin intérieur, le Soi omniprésent, Celui qui se meut sans se mouvoir, le point immobile au centre du monde à jamais changeant.

On pourrait écrire bien davantage quant à la signification des images de Vishnu et de Shiva, ainsi que des nombreux autres dieux et déesses de l'hindouisme, mais ce qui a été dit est suffisant pour donner une idée des principes en cause et de la complexité de ces formes.

4. la vision du monde hindoue : Sankhya et Yoga

Une grande part de l'unité de l'hindouisme tient à sa vision caractéristique du monde, que partagent largement ses différentes écoles. La croyance dans une nouvelle naissance et dans la loi du Karma en sont deux aspects sur lesquels nous reviendrons dans un prochain chapitre. Derrière ces croyances se trouve la vision d'un univers ordonné, rythmique : le processus du monde est cyclique par nature ; l'univers prend naissance et disparaît selon un schéma régulier, comme celui du jour et de la nuit ou celui du souffle avec l'inspiration et l'expiration. Ce schéma n'a ni commencement ni fin. Il est simplement dans la nature des choses.

Le Temps Cyclique

Nous avons vu que la Danse de Shiva est, entre autres choses, une représentation de la nature rythmique de l'univers. L'univers n'est pas quelque chose qui est créé : c'est quelque chose qui se rapproche davantage d'un processus naturel, c'est presque un organisme. Il surgit de l'être de la Réalité Suprême, sans aucune raison particulière mais simplement parce que c'est dans la nature de cette Réalité. Une fois entré dans l'existence, l'univers est conservé pour un temps, et finalement, retourne sombrer dans l'état non-manifeste de la Réalité Suprême d'où il a surgi. Là, il demeurera à l'état dormant, comme une graine cachée, jusqu'à ce qu'il émerge une fois de plus au début d'un cycle à venir.

Un cycle d'une telle ampleur, impliquant une immense perspective de temps, est appelé *kalpa*. Ces grands cycles se divisent en de nombreux cycles plus petits, appelés *mahayugas*. Un mahayuga est dit durer 4 320 000 ans, et est composé de quatre âges ou *yugas*. Ces âges sont assez semblables aux âges d'Or, d'Argent, de Bronze et de Fer de l'antiquité classique. Chacun d'eux est plus court et pire en qualité que l'âge qui l'a précédé. Le Kali Yuga, le dernier des quatre, s'étend sur une période de 432 000 ans, l'âge avant lui sur une période deux fois plus longue, et les deux premiers sur des périodes trois et quatre fois plus longues. Nous obtenons ainsi un total de 4.320.000 ans – un mahayuga ou sous-cycle de l'existence du monde. La même séquence se répète à l'infini. Mille mahayugas constituent un kalpa (décrit comme « un jour de Brahma », le dieu responsable de la manifestation du monde) et à la fin de cette période, l'univers entier retourne à l'état non-manifeste d'où il a surgi. Une période similaire, à nouveau d'une durée de mille mahayugas, s'écoule alors (« une nuit de Brahma »), puis le processus tout entier recommence avec, émanant de l'être de Vishnu, l'arrivée d'un nouvel univers.

L'Âge Présent - Le Kali Yuga

Les hindous croient que nous sommes à présent dans le kali yuga, le dernier et le plus sombre des quatre âges, qui a commencé à la fin de la présence de Krishna sur la terre. La plus célèbre description du kali yuga se trouve dans le Vishnu Purana et peint un sombre tableau :

> Le système de caste, l'ordre et les institutions ne seront pas respectés dans l'âge de Kali ; pas plus que le cérémonial enjoint par les Sama, Rig et Yajur Vedas. Le mariage dans cette période ne sera pas conforme au rituel ; de même que ne seront pas respectées les règles qui lient le maître et son disciple. Les lois régissant la conduite entre mari et femme seront méconnues, et les dieux ne feront plus l'objet d'oblations par le feu… Les trésors accumulés seront dépensés pour les habitations. L'esprit des hommes sera entièrement occupé à acquérir de la richesse, et la richesse sera dépensée uniquement à des fins égoïstes. Les femmes suivront leurs inclinations et seront avides de plaisir. Les hommes fixeront leur désir sur les richesses, même celles acquises de manière malhonnête. Dans l'âge de Kali, Maitreya, les hommes, corrompus par les incroyants, se garderont d'adorer Vishnu, le seigneur du sacrifice, le créateur et seigneur de

> tout ce qui est, et diront : « Quelle est l'autorité des Védas ? Que sont les dieux ou les brahmines ? »[1]

Pourtant, malgré ce sombre tableau, l'âge de Kali est dit avoir ses propres avantages. D'abord, il est le précurseur d'un grand renouveau, car une fois sondées les profondeurs du kali yuga, et une fois que tout ce qu'il y a de plus bas et de pire dans l'humanité aura trouvé son expression, un nouvel Âge d'Or poindra avec le commencement d'un nouveau mahayuga. Deuxièmement, le Vishnu Purana explique que les conditions particulièrement difficiles du kali yuga ont leur compensation. Il raconte l'histoire du grand sage Vyasa que l'on entendit s'exclamer, alors qu'il prenait son bain rituel dans le Gange, « Excellent, excellent est l'âge de Kali ». Les brahmines qui l'avait entendu pouvaient à peine en croire leurs oreilles et peu après, se hâtèrent vers lui pour avoir une explication. Vyasa leur expliqua qu'il avait parlé ainsi parce que dans l'âge de Kali, il est tenu compte de l'état dans lequel les hommes sont tombés, et des conditions difficiles qui prévalent. Par suite, un petit acte vertueux accompli dans le kali yuga a le même effet qu'un acte de pénitence grandissime et difficile accompli dans un âge antérieur. Le mouvement dévotionnel hindou tout comme la tradition tantrique, se prévalent de cet argument, affirmant que leurs méthodes sont « faciles » ou « naturelles » et spécialement adaptées aux conditions du kali yuga.

Les Six Écoles de Philosophie

Les stages du processus par lequel l'univers émane de la Réalité Suprême sont énoncés dans la philosophie de l'école Sankhya. Les concepts de cette école, probablement formulés au début du premier millénaire avant notre ère, ont fini par s'infiltrer dans toute la pensée hindoue. En particulier les idées de l'école Sankhya furent greffées sur l'ancienne tradition du Yoga de l'Inde, et c'est ce mariage qui a fourni les bases de l'école de Yoga de Patanjali. Cependant, dans l'école de Yoga, ce n'est plus une vaste théorie universelle sur laquelle est mis l'accent et sur laquelle se concentre l'intérêt, mais sur le salut individuel et les techniques qui peuvent aider à y parvenir. Avant de nous tourner vers ces deux écoles, il sera utile de comprendre quelle place elles tiennent dans le schéma plus large de la pensée hindoue.

Les écoles de Sankhya et de Yoga appartiennent aux six *darshanas* ou « vues » de l'hindouisme. Ce sont les six principales écoles philosophiques qui, du fait qu'elles reconnaissent l'autorité des Védas, entrent dans le cadre de l hindouisme. Il y a eu, par le passé, de vifs débats entre ses six *darshanas* ; on peut cependant les considérer comme complémentaires – six phases différentes d'un processus unique, ayant le même objectif, *moksha* ou délivrance. Les six écoles se regroupent en paires, ce qui est commode :

1. Sankhya et Yoga. Ces deux écoles partagent de nombreuses vues, sauf que dans le Yoga, la perspective est théiste tandis que le Sankhya ne possède pas de Dieu. Le Yoga s'intéresse avant tout à la nature de l'homme et aux méthodes pratiques ; le Sankhya offre un tableau macrocosmique plus large et considère la connaissance comme étant suffisante à elle seule pour atteindre la libération. Bien que le Sankya ne soit plus une école active, ses idées sont d'une grande importance car elles sont passées dans le courant général de la pensée hindoue. Dans ces deux écoles, et spécialement celle de Yoga, certaines des idées natives les plus anciennes de l'Inde y ont peut-être trouvé leur place.

2. Mimansa et Védanta. Ces deux écoles se rattachent directement aux Védas. La plus ancienne, la Mimansa (mot signifiant « enquête »), a hérité de la tradition védique des brahmines et a surgi en vue de tenter d'enrayer le déclin d'intérêt dans l'ancienne religion sacrificielle. Pour cette raison, le Dharma, au sens de vie en accord avec les règles de la religion et d'accomplissement des rituels prescrits, est essentiel. Il met l'accent sur les premières parties des Védas, en particulier les Brahmanas, et est par nature conservateur. Le Védanta qu'on appelle aussi l'Uttara Mimansa (« l'enquête dernière ou finale ») met l'accent

sur les Upanishads comme étant la source véritable de la connaissance métaphysique. Il interprète le reste des Védas à leur lumière afin d'en tirer les implications et de les présenter comme un système cohérent. Alors que l'école de la Mimansa a depuis longtemps cessé d'être active, le Védanta en est venu à dominer intellectuellement l'hindouisme.

3. Les écoles du Nyaya et du Vaisheshika sont d'un moindre intérêt dans le contexte présent. La première s'intéresse aux divers processus par lesquels nous possédons le savoir, et aux méthodes de la logique. La seconde s'intéresse essentiellement au monde physique et aux catégories de l'existence. Il s'agit là dans une large mesure d'une forme première de la science physique.

La vision Sankhya du monde

La littérature bouddhiste nous dit comment, au début de sa recherche, le futur Bouddha fut guidé vers deux maîtres réputés qui demeuraient dans la forêt. D'après la description des doctrines qu'ils offrirent au Bouddha, il semble que ceux-ci aient été parmi les premiers représentants des écoles de Sankhya et de

Yoga. Si l'on en croit le compte rendu bouddhiste, ces traditions ont dû émerger pendant la même période de fermentation religieuse qui a aussi donné naissance aux Upanishads et au Bouddhisme lui-même.

Bien que l'école de Sankhya ait cessé d'être une force active, elle demeure importante. Un grand nombre de ses idées ont été empruntées par des systèmes ayant apparu plus tard, dont le Védanta. En tant que premier exposé systématique, elle a donné à la pensée hindoue la « cartographie fondamentale de l'univers ». Lorsqu'on parle de la vision hindoue du monde, on parle dans une large mesure de la vision du Sankhya.

Le mot Sankhya signifie « compter », et la philosophie du Sankhya vise à énumérer et à comprendre les étapes par lesquelles les différents éléments qui composent l'univers en viennent à exister. Elle ne s'intéresse pas au monde céleste des dieux ni à leur relation avec l'homme, mais au monde tel que nous en faisons l'expérience. C'est une voie de connaissance, une tentative en vue de gagner la libération par l'appréciation de la nature de l'univers et de l'homme en tant que partie de cet univers.

Purusha et Prakriti

Le Sankya part de deux réalités fondamentales appelées *purusha* et *prakriti*. Ce dont les êtres humains font l'expérience, ce sont d'une part, les points multiples de la conscience, c'est-à-dire les êtres vivants (y compris soi-même) et d'autre part, un monde de matière inanimée. Le Sankhya appelle ces deux principes *purusha*, le principe de la conscience et de l'animation, et *prakriti*, la matière ou substance primordiale. Il ne cherche pas à s'enquérir au-delà: pour le Sankhya, purusha et prakriti se trouvent déjà à la limite de la pensée humaine, et quoi qu'il puisse y avoir (ou ne pas avoir) au-delà, n'est pas accessible à la connaissance. La philosophie du Sankhya a donc l'apparence d'un système dualiste.

Prakriti est un concept important dans la pensée hindoue. On la dit inerte, indestructible, au cœur de tout et éternelle. Ce n'est pas la matière telle que nous la connaissons. La matière telle que nous la connaissons est toujours conditionnée et différenciée par ses formes – par des qualités d'une sorte ou d'une autre. Prakriti est la matière qui précède ce conditionnement. C'est la matière sans forme (la « Matière Primordiale » d'Aristote): le potentiel pur, la substance originale de l'univers d'où surgissent toutes choses et à laquelle elles retournent. Étant donné que prakriti n'a pas de forme, rien ne permet de la différencier. Deux conséquences découlent de ce fait : prakriti est une, et deuxièmement, on ne peut ni la percevoir ni la connaître.

Purusha est le principe complémentaire. Le mot *purusha* se trouve dans le Rig Véda ; et dans les Upanishads, il est utilisé presque comme synonyme du terme Atman. Mais le Sankhya comprend la chose autrement. Pour l'école du Sankhya, purusha est multiple ; il y a autant de purushas qu'il y a d'êtres dans l'univers. Bien qu'ils soient séparés, on les dit identiques dans leur nature. Comme prakriti, les purushas sont éternels et ne cessent jamais de l'être.

Purusha et prakriti sont donc des principes opposés, très différents par nature et qui forment une dualité radicale. Aucun d'entre eux ne peut agir sans l'autre. Purusha, par lui-même, ne possède aucune substance et par conséquent, aucun véhicule d'expression. Prakriti par lui-même, est inanimé et impuissant : il doit seulement rester à l'état potentiel. Pourtant, c'est par la réunion de purusha et de prakriti que toutes choses surgissent. La manifestation *est* leur interaction.

La Manifestation de l'Univers

D'une certaine manière, et le Sankhya ne tente pas d'expliquer comment, purusha et prakriti entrent en contact par « association » (*samyoga*). Cela amorce le processus de *shrishti*, la manifestation de l'univers. Ce n'est pas une création, car tout existe déjà à l'état potentiel dans prakriti. Les formes apparaissent mais en réalité rien de nouveau n'a été créé. Seul un fœtus commence à se former dans la matrice par suite du contact avec le principe masculin, le potentiel de la manifestation qui repose au sein de prakriti, et qui commence à se mouvoir au contact de purusha.

Le Sankhya décrit le processus suivant en termes de *tattvas*. Il s'agit d'une série de vingt-cinq principes ou degrés dans l'émanation de l'univers. Les deux premiers *tattvas* sont purusha et prakriti. Le troisième *tattva*, le résultat initial de leur contact, est simplement appelé Mahat ou *mahat-tattva*, le « Grand Principe ». Cela se traduit parfois par Idéation Cosmique, et peut se comparer au concept chrétien du Logos. C'est la perte de l'état d'équilibre parfait où se trouvait prakriti avant la manifestation: la première étape de différenciation d'où tout le reste surgira.

Considéré dans sa relation avec l'homme, ce troisième *tattva* est appelé buddhi. La buddhi est la faculté la plus haute de l'homme. Comme n'importe quoi d'autre au monde, elle consiste en prakriti, même s'il s'agit là de matière sous une forme extrêmement subtile. Le *purusha* se reflète dans cette matière subtile, par elle-même inerte, tout comme le soleil se reflète dans un plan d'eau. C'est ainsi que, pour la première fois, la conscience se confond avec la matière, quand le *purusha* s'identifie à tort avec la buddhi. Le premier pas vers l'existence individualisée, et l'émergence du monde empirique qui en est la contrepartie, a été accompli. La buddhi donc, est la phase première de la limitation de la conscience : la possibilité, toutefois pas encore actualisée, d'être un sujet.

Le quatrième *tattva* est l'ahamkara, qui est l'actualisation de cette possibilité. Le mot signifie « faiseur du Je » et c'est le principe d'individuation, l'émergence de l'idée du « Je » individuel. À partir de là, la distinction sujet-objet sur laquelle repose notre expérience du monde se met progressivement à exister. Puis vient manas, le mental (le cinquième *tattva*) et ses agents, les cinq pouvoirs de perception (l'ouïe, le toucher, la vue, le goût et odorat) et les cinq pouvoirs d'action (la parole, le mouvement, la compréhension, la procréation et l'excrétion). Enfin, surgissent les éléments de l'univers physique (les dix derniers *tattvas*) : d'abord les cinq éléments subtils (appelés *tanmatras*) qui, affirme-t-on, sont derrière les éléments matériels et leur donnent naissance ; et finalement, les éléments matériels eux-mêmes : *akasha* (« l'invisible »), c.à.d. l'espace, souvent traduit par « éther », l'air (ou le principe du mouvement), le feu (ou le principe de la luminosité), l'eau (ou le principe du liquide et de la souplesse) et la terre (ou le principe de la solidité et de la stabilité).

Tel est donc le point de vue du Sankhya – et dans une large mesure, le point de vue hindou – en ce qui concerne la naissance du monde. Pour l'école du Sankhya (mais pas pour certaines écoles venues plus tard tel l'Advaita Védanta) l'ensemble de ce processus est réel : purusha est réel, prakriti est réelle et le monde empirique qui résulte de leur interaction, est lui aussi réel.

Les trois Gunas

Un autre aspect important de l'enseignement du Sankhya, qui s'est répandu dans la pensée hindoue, est la notion des trois gunas. Ce mot découle de la racine qui signifie tresser, et les gunas sont conçus comme trois branches qui, une fois tressées, forment une corde. Cette corde est prakriti, la substance cosmique. Prakriti *est* les gunas et ne consiste en rien d'autre qu'eux.

Les trois gunas sont des modes d'être, des tendances à l'existence et, dans des combinaisons variées, ils pénètrent tout ce qui est. *Rajas* est le principe de l'activité, *tamas*, ce qui restreint et fait obstacle, et *sattva* le principe de l'harmonie et de la clarté. Quand prakriti est dans son état immuable d'avant l'émanation de l'univers, ces trois gunas s'y trouvent en parfait équilibre. Ils forment en une unité primordiale, mais ne cessent pas d'exister. Le contact avec purusha rompt leur équilibre, ce qui déclenche une réaction en chaîne qui prend la forme des *tattvas*. Cet équilibre nouveau produit une forme nouvelle, dans laquelle prédomine l'un ou l'autre des gunas. Cette forme nouvelle réagit alors séparément sur les trois gunas, produisant encore d'autres formes, et celles-ci à leur tour agissent à la fois les unes sur les autres et sur les trois gunas originaires. Ainsi surgit une variété infinie de combinaisons, et c'est l'univers tel qu'il se manifeste.

Pour finir, on ne trouve jamais les gunas séparément ou dans leur forme absolument pure. Tous trois sont présent en tout et chacun, mais toujours dans des proportions et des combinaisons différentes. Rien de ce qui participe à prakriti n'est dépourvu des trois gunas. . Le monde physique extérieur tout comme le monde mental intérieur en sont l'expression. Nous croyons peut-être agir, mais en réalité, ce n'est pas *purusha* qui agit, ce sont les gunas de prakriti qui agissent à travers nous.

La Libération dans le Sankhya

La philosophie du Sankhya diffère de l'école de Yoga en ce qu'elle n'admet aucun Dieu personnel. Dès lors, il n'y a aucune notion de grâce : la libération est obtenue purement par la connaissance. Notre être réel est le *purusha*, l'esprit immuable présent en chacun de nous. On en est venu à le confondre avec prakriti. Nous sommes pris dans le processus du monde matériel, comme un oiseau empêtré dans le filet des gunas. Nous nous sentons bridés, en cage – « liés à un animal mourant » selon l'expression du poète irlandais, W.B. Yeats. Le moyen de libération, d'après le Sankhya, consiste à comprendre cette situation, et par le biais d'une prudente discrimination et de la méditation, à libérer le *purusha* que nous sommes vraiment de son embrouillement avec prakriti. Alors pour nous, il n'y aura plus de nouvelle naissance.

La Tradition du Yoga

Le Yoga, cet aspect de la tradition hindoue qui, dans une large mesure, offre les mêmes idées que le Sankhya en ce qui concerne le processus du monde, est peut-être le plus connu en Occident. Le mot Yoga donne l'idée de joindre ou de rassembler, et le Yoga peut s'interpréter aussi bien au sens de méthode – celle de l'autodiscipline – que d'objectif, la réintégration du *jiva* à l'Atman. Le Yoga n'est pas tant une philosophie qu'une tradition de pratique, peut-être l'une des plus anciennes traditions connues au monde. Son approche et ses techniques se retrouvent dans le jainisme et le bouddhisme, et il anime une grande partie de la tradition hindoue.

En tant que tradition ancienne et florissante, le Yoga s'est développé en de nombreuses branches et sous-écoles ; parmi ses formes bien connues, on trouve le Hatha Yoga, le Laya Yoga, le Shabda Yoga, le Raja Yoga. L'Atma Yoga et l'Adhyatma Yoga sont mentionnés dans les Upanishads[2] ; et dans l'une des Upanishads ultérieures, on trouve, décrit relativement en détail, un Yoga divisé en six branches, ainsi qu'un ancien vers :

> L'unité du souffle et de l'esprit,
> Et également des sens,
> Et l'abandon de toutes les conditions de
> l'existence –

C'est ce qu'on appelle le Yoga.[3]

Le thème du Yoga est l'un des thèmes qui dominent dans la Bhagavad Gita[4], où le mot est utilisé au sens de la voie de la pratique par opposition au Sankhya, la voie de la connaissance. C'est un fait que l'on peut voir à quel point l'idée de Yoga s'est répandue avec l'utilisation des termes Bhakti Yoga, Jnana Yoga et Karma Yoga – qui désignent de larges approches de l'hindouisme, plutôt que des techniques précises.

L'objectif du Yoga, comme celui du Sankhya, est de libérer les *purushas* de l'emprise douloureuse de la prakriti, mais il diffère du Sankhya en ce qu'il souligne qu'à elle seule, la connaissance n'est pas suffisante pour y parvenir. « Dans le Yoga, on n'atteint pas la perfection par la simple lecture des écritures », nous dit un texte.[5] Même avec une parfaite connaissance théorique de la distinction entre les purushas et prakriti, l'homme, selon l'école de Yoga, reste pris au piège, et cela tient à la nature de son esprit et à la manière dont cet esprit est conditionné par le karma. Le problème est profondément enraciné : nous sommes identifiés au mental et au soi individuel que celui-ci sert au cours de nombreuses incarnations.

Les Huit Branches du Yoga

L'ancienne tradition du Yoga a adopté les caractéristiques de l'une des six *darshanas* ou « vues » de l'hindouisme lorsque le Yoga Sutra de Patanjali fut composé, probablement au troisième siècle de notre ère. Patanjali définit le Yoga comme *citta-vritti-niroda*, « le contrôle des activités fluctuantes de la pensée », et il présente un processus en huit phases pour y parvenir.[6]

Les deux premières phases (*yama et niyama*) se rapportent à la vie morale. Le contrôle et la mise en ordre de la vie morale est la pré-condition essentielle de tout progrès ultérieur, car sans cela, l'esprit ne peut jamais être restreint. Des vertus telles que la non-violence (*ahimsa*) vis-à-vis des autres créatures, la véracité, la pureté, le contentement et l'étude de soi sont nécessaires. Après quoi, viennent la posture (*asana*), le contrôle du souffle et du flot de l'énergie (*pranayama*), et le retrait des sens (*pratyahara*). Ce ne sont pas là seulement des pratiques physiques, mais des phases dans le retrait mental du monde physique qui stimule l'esprit et lui fournit ses objets. À propos de la posture, Patanjali dit seulement qu'elle doit être ferme et confortable. L'objectif est la concentration mentale, et les nombreuses postures et exercices difficiles et compliqués qu'adopta plus tard l'école du Hatha Yoga n'appartiennent pas à son système. Ce qui lui est beaucoup plus central, c'est le *prayanama*, le contrôle du *prana*. Le mot *prana* se traduit généralement par « souffle », mais c'est en fait beaucoup plus que cela. Ce n'est pas seulement l'air qui entre dans les poumons, mais le flot d'énergie psycho-physique qui en découle et qui, circulant dans tout l'être vivant, trouve son expression dans l'activité mentale ainsi que dans les désirs, les émotions et les actions. « Lorsqu'il y a mouvement de *prana* dans les canaux appropriés, il y a alors mouvement dans la conscience et le mental surgit. »[7] Par suite, dans la mesure où le souffle peut être consciemment contrôlé, l'activité mentale peut l'être également En particulier, le prolongement systématique des pauses entre l'inspiration et l'expiration ralentit et peut même interrompre temporairement la pensée. Le *prana* étant l'énergie vitale, le manipuler d'une manière ou d'une autre comporte sans nul doute des risques, et cela ne doit être tenté que sous la supervision d'une personne compétente. C'est le *prana* qui se retire du corps à la mort, et qui, emportant avec lui les autres éléments, émigre dans un corps nouveau.

Après le contrôle du mental, vient la cinquième phase, le retrait des sens de leurs objets car c'est le mental qui gouverne les sens. Cette phase est très bien décrite dans un vers de la Bhagavad Gita :

> Et lorsque cet homme rétracte et rassemble totalement ses facultés sensorielles loin des objets sensibles, comme une tortue fait de

ses membres, c'est lui qui est « confirmé en sagesse ».[8]

L'Absorption ou Samadhi

Une fois que l'esprit est ainsi isolé et qu'il n'est plus nourri par la stimulation des sens, les trois dernières phases peuvent alors être abordées. Les trois étapes suivantes décrivent les phases finales dans l'arrêt du mental et le désengagement de la conscience pure ou purusha de prakriti. Ce sont la concentration (*dharana*), la méditation (*dhyana*) et l'absorption (*samadhi*). Dans la concentration, l'esprit se fixe sur un seul point et l'attention se porte sur un objet particulier de pensée ; dans l'état de *dhyana*, il est stabilisé en un flot puissant et ininterrompu.

La phase finale a deux niveaux. Dans le premier, « *samadhi* avec connaissance » (*samprajnata samadhi*), la distinction entre sujet et objet a disparu. Tous les mouvements de l'esprit ont été éliminés et seul demeure conscient l'objet de méditation. Pris dans ce sens, l'état de *samadhi* n'est pas en fait quelque chose de rare. Il survient, aussi brièvement que ce soit, chaque fois que nous sommes entièrement absorbés dans quelque chose et rien que par cette chose, sans référence à un quelconque intérêt personnel – par exemple, la contemplation profonde d'un objet d'art ou de la beauté de la nature. À cet instant, toute notre attention est concentrée sur l'objet et nous cessons d'être conscients de nous-mêmes en tant que sujet. Le soi individuel avec ses soucis et ses intérêts constants est oublié, et avec la disparition de l'ego, nous faisons l'expérience d'un moment de bonheur profond. C'est la *samprajnata samadhi*, bien que normalement, l'expérience soit si brève, si fragmentée et si désordonnée que nous en sommes à peine conscient. Avec la discipline du Yoga, l'expérience est soutenue, guidée et contrôlée.

Dans le dernier niveau, « *samadhi* sans connaissance » (*asamprajnata samadhi*) même la dernière trace de la présence de la prakriti sous la forme de l'objet de contemplation disparaît. La conscience de l'objet tout comme celle du sujet a disparu. Étant donné que nous ne pouvons penser qu'en termes de sujet-objet, nous ne pouvons savoir ce que cela signifie. Nous pouvons seulement en faire l'expérience par nous-mêmes. Le mental qui pendant si longtemps s'est tenu entre nous et notre vraie nature a été maîtrisé, et il ne reste que la conscience pure dénuée de tout objet. Avec la disparition du mental, les graines de la re-naissance qu'il contient et qui y sont profondément ancrées sont consumées. Le but du contrôle des fluctuations mentales est atteint. Le *purusha* est libéré des effets de la prakriti et fait l'expérience continue de la béatitude de sa propre nature.

5. le vedanta : la voie de la connaissance

Après la tradition du Sankhya-Yoga, nous parvenons à la seconde tendance tissée au cœur du Véda dans la formation de l'hindouisme. C'est le Védanta. Le Védanta est appelé *jnana-marga*, « la voie de la connaissance », et en termes d'idées, c'est l'élément le plus influent de tous. Son nom proclame sa dépendance vis-à-vis des Védas. *Védanta* signifie « la fin du Véda » et le terme peut être compris soit comme une référence à l'importance que cette école attache à la dernière partie des Védas, les Upanishads, soit comme une proclamation affirmant qu'elle représente la connaissance complète des Védas, leur culmination.

Il existe différentes écoles de pensée au sein du Védanta, mais le terme est utilisé le plus souvent comme se rapportant à celle qui est venue en premier. Il s'agit de l'Advaita (Védanta de la Non-Dualité) auquel l'un des plus grands penseurs de l'Inde, Shankara, a donné sa forme classique. Aucune doctrine n'a autant influencé la pensée hindoue que celle-ci, et toutes les autres écoles du Védanta ont dû tenir compte de la position de Shankara. Dans ce chapitre nous considérerons uniquement cette école ; les plus importantes des écoles venues ultérieurement se rattachent au Bhakti ou mouvement dévotionnel.

Le texte de base de l'école du Védanta est le Brahma Sutra (appelé aussi Védanta Sutra). On ignore quand ces vers furent composés (les estimations vont entre 200 av. JC et 400 après JC) mais ils sont si brefs et si condensés qu'ils sont pratiquement incompréhensibles et nécessitent l'aide d'un commentaire ; en fait, leur importance est due aux célèbres commentaires de Shankara, de Ramanuja et d'autres, que ces vers inspirèrent. Courts et cryptiques – destinés à raviver la mémoire de ceux qui connaissent déjà les enseignements – ces vers, ne sont que le sommet de l'iceberg, la preuve d'une tradition continue qui a survécu et qui remonte en toute probabilité aux Upanishads elles-mêmes. Le Brahma Sutra mentionne quelques-uns des premiers maîtres, mais nous ne savons rien d'autre que leurs noms. Nous connaissons, en revanche, la figure centrale de l'école du Védanta. C'est Shankara dont la vie brève mais étonnamment productive a probablement pris fin autour de l'an 725 de notre ère.

Shankara

Shankara est l'une des grandes figures de l'histoire de la pensée indienne. Son œuvre principale, le fameux commentaire du Brahma Sutra, a été qualifiée de « texte philosophique le plus influent de l'Inde d'aujourd'hui, le pinacle des compositions philosophiques de l'Inde. »[1] Cette œuvre ainsi que les commentaires de Shankara sur les principales Upanishads et la Baghavad Gita, ont donné à l'Advaita Védanta son rôle central au sein de la philosophie hindoue. Les penseurs qui suivirent et qui ont voulu récuser les vues de Shankara se sont trouvés dans l'obligation de composer des commentaires sur les mêmes textes qui ont fini par être reconnus comme les trois fondements (*prasthana-traya*) du Védanta. En Occident, Shankara a longtemps été reconnu comme l'un des plus grands philosophes du monde.

Malgré sa renommée, nous savons peu de choses avec certitude concernant sa vie. Les comptes rendus traditionnels, qui datent d'une période beaucoup plus tardive, nous disent qu'il naquit dans une famille brahmine dans ce qui est à présent l'État du Kerala, en Inde du sud. À l'âge de dix-neuf ans il abandonne son statut de brahmine et devient un *sannyasin*, un moine errant. Son élève, Sureshvara, le décrit comme « un ascétique seigneurial qui marchait avec une canne de bambou », et « un homme à l'esprit noble qui avait balayé toutes les impuretés de son cœur ».[2] Il se rendit dans le nord de l'Inde et devint renommé à Bénarès, ainsi que dans les autres centres où se déroulaient les grands débats publics sur l'interprétation des écritures, à l'époque un aspect important de la vie indienne. On dit qu'un grand nombre de personnes, elles-mêmes spirituellement avancées, s'attroupaient autour de lui. Il voyagea abondamment et établit quatre célèbres monastères qui existent encore dans le nord, le sud, l'est et l'ouest de l'Inde. Il mourut à l'âge de trente-deux ans, selon certains comptes rendus à la suite d'une morsure de serpent, laissant derrière lui non seulement ses écrits mais l'un des grands ordres monastiques de l'hindouisme, connu comme le *Dashanamis* (« les dix noms »).

La philosophie de Shankara

Le Védanta ne s'intéresse pas à la cosmologie ou aux processus de la création. Il considère toutes ces combinaisons comme des symboles ou des mythes, et à leur propos, il s'accommode d'emprunts faits aux traditions du Sankhya et du Yoga. Ce qui intéresse les penseurs du Védanta, c'est le statut du monde en tant que réalité, et la véritable nature du soi : la question, *Qui suis-je ?* Devient d'une importance centrale. « Les êtres nobles » écrit Shankara « les chercheurs de libération, ne s'intéressent qu'à la réalité ultime, non pas à des spéculations inutiles sur la création. De ce fait, les diverses théories sur la création ne proviennent que de ceux qui croient dans la doctrine selon laquelle la création est réelle. »[3]

Le principe selon lequel rien de ce qui change ne peut, au sens ultime et final, être réel est largement accepté dans la pensée indienne. La réalité n'est pas quelque chose qui survient et qui cesse. Elle demande une stabilité d'être ; comme le déclare la Bhagavad Gita : « Le non-être n'accède pas à l'existence, l'être ne cesse pas d'exister. La démarcation entre ces deux domaines est évidente pour ceux qui ont l'intuition de la réalité. »[4] Cette façon de voir diverge des habitudes de pensée occidentales. En Occident, la réalité est généralement assimilée à l'expérience que les sens nous transmettent. C'est d'abord et avant tout le monde matériel – dur, solide, objectif, « là-bas, » indépendant de nous. Ce point de vue remonte au moins à Aristote et, bien que la physique moderne ait quelque peu entamé cette façon de voir, celle-ci continue de dominer. Ce n'est absolument pas le point de vue de Shankara. Pour lui, le monde matériel – le monde de la croissance et de la dégénérescence, du flux et du changement incessants – est précisément ce qui n'est *pas* réel.

Tout ce qui possède une forme est soumis au changement. Cette forme possède une certaine stabilité d'être et donc une réalité provisoire, mais tôt ou tard elle changera et ainsi révélera sa nature irréelle. Et si l'univers tout entier est soumis au changement, cela signifie seulement que la réalité elle-même, la Réalité finale et absolue doit reposer quelque part dans un autre mode d'être. C'est pourquoi la philosophie de Shankara est appelée Advaita Védanta ou « la Non-Dualité ». Cela signifie que la réalité absolue se trouve dans un ordre d'être différent, hors de la dualité du mode de connaissance sujet-objet. Ce mode de connaissance ordonne normalement la totalité de notre expérience ; il est caractéristique du soi individuel et de son principal instrument, le mental. Le message de Shankara, est donc radical : le monde qui nous entoure *et* l'individu humain qui en fait l'expérience sont tous deux en fin de compte irréels.

Shankara cherche à supprimer l'ignorance où nous sommes de notre propre nature, une ignorance qui nous maintient attachés au monde phénoménal, en écartant les obstacles que nous nous sommes imposés et qui nous séparent d'une appréhension immédiate de notre réalité profonde. Ces idées sont présentes dans les Upanishads ; mais les Upanishads, bien que contenant des intuitions profondes, offrent les pensées d'un grand nombre de sages différents et ne suivent aucun ordre particulier. L'objectif du Védanta est d'en tirer un système philosophique. Pour cette école de pensée, il ne s'agit pas tant d'accroître la foi dans les dieux, que d'accroître notre scepticisme quant à la réalité du monde et du soi individuel qui en fait l'expérience.

Les Degrés de Réalité

Le fondement de la méthode de Shankara consistait à distinguer entre les différents degrés ou niveaux de réalité. Il ne peut y avoir, bien entendu, qu'une seule réalité en tant que telle, et c'est, comme nous l'avons vu, ce qui ne peut jamais changer de nature. Les Upanishads l'appellent Brahman. Et dans l'homme, c'est l'Atman, la conscience immuable qui éclaire les formes changeantes de l'expérience. Dans le *Panchadashi*, un célèbre traité d'Advaita, rédigé quelque six cents ans après Shankara, l'Atman est assimilé à la lumière éclairant un théâtre :

> Il existe une conscience-témoin dans le jiva qui révèle à la fois l'agent, l'action et les objets extérieurs mutuellement distincts. Le témoin demeure à travers toutes les expériences mentales de l'audition, du toucher, de la vision, du goût et de l'odorat, comme une lumière illumine tout un théâtre. La lumière du théâtre révèle de façon impartiale le maître de maison, les invités et la danseuse. Quand celle-ci et les autres sont absents, la lumière continue de briller révélant leur absence… Dans cette illustration, le maître de maison est l'ego (*ahamkara*), les divers objets des sens sont les invites, l'intellect (c.à.d. le mental) est la danseuse ; les musiciens jouant sur leur instruments sont les organes des sens, et la lumière qui les illuminent tous est la conscience-témoin. La lumière révèle tous les objets du théâtre mais reste immobile et demeure constante. Ainsi, la conscience-témoin, elle-même immobile, illumine les objets à l'intérieur et à l'extérieur (c.à.d. le monde intérieur de l'expérience subjective et le monde « objectif » de l'expérience extérieure).[5]

Cette lumière intérieure, témoin du flot des apparences qui constituent l'expérience, est la réalité immuable sans laquelle rien d'autre ne pourrait être. Pourtant, chaque apparence tant qu'elle dure, possède une réalité provisoire pour ceux qui sont pris dans ses liens. Ainsi, la conscience sous ses formes individualisées fait l'expérience de niveaux de réalités différents à des moments différents, chacun de ces niveaux de réalité paraissant absolu tant qu'il dure. Quand nous rêvons, le monde des rêves et les expériences que nous y faisons sont pour nous tout à fait réelles. C'est seulement lorsque nous nous réveillons que cela change. Ce qui se produit alors, c'est que notre conscience passe à un autre niveau de réalité, plus stable et donc plus proche de la réalité absolue. Par rapport à ce dernier, le niveau inférieur – celui du rêve – semble avoir été irréel. Mais la vie éveillée existe aussi à un certain niveau. Une fois encore, tant que nous y sommes enfermés, sa réalité nous paraît totale, mais un jour – à notre mort ou quand nous atteindrons la libération – nous découvrirons que cela aussi n'était qu'une sorte de rêve plus grand et plus stable.

Il existe ainsi différents niveaux de réalité : la réalité purement subjective des rêves et de la rêverie ; la réalité plus stable du monde apparemment objectif ; et peut-être au-dessus de cela, d'autres niveaux plus stables encore, que les Védas appellent « le monde des dieux » ou « le paradis d'Indra ». Au bout du compte, *toutes* ces expériences se trouvent être irréelles et seule la réalité absolue, Brahman-Atman, la toile sur laquelle elles ont été peintes, *est* véritablement ; en être conscient constitue l'état de *moksha*, la libération des « réalités » illusoires.

Le Vrai Soi et le Soi Apparent

Nous avons déjà rencontré les racines de l'idée de différents ordres de réalités. Celles-ci remontent au vers du Rig Véda repris et répété par les Upanishads, qui parle de « Deux Oiseaux » perchés sur le même arbre. De même, l'Aitareya Upanishad demande, « Qu'est donc le Soi ? nous devons méditer ainsi, Quel est le Soi, par lequel on voit, on entend ? »[6] Shankara fait le commentaire suivant à ce propos, « nous sommes conscients de deux entités dans le corps, un instrument qui prend des formes différentes et *à travers lequel* nous avons une connaissance empirique, et un principe (immuable) qui *possède* la connaissance. »[7]

Ces deux entités, Atman et *jiva*, correspondent aux différents niveaux de l'existence ; Atman à la réalité absolue (d'où son identité avec Brahman) et *jiva* à tous les niveaux de la réalité partielle et provisoire dont le soi individuel fait l'expérience. Dans chacune de ces conditions, le monde apparaît sous une lumière différente. Du point de vue de l'Atman, le Soi-témoin à jamais sans attache, ni le monde des phénomènes ni le soi individuel qui en fait l'expérience n'a la moindre réalité définitive. C'est la vérité fondamentale et inqualifiable. Pour celui qui a atteint cet état – c'est-à-dire qui est *jiva-mukta* (« libéré alors que vivant »), le monde empirique, qui continue d'apparaître aussi longtemps qu'il reste dans son corps, est vu et connu comme un rêve : il cesse d'être un objet séparé du sujet. Gaudapada, le prédécesseur de Shankara dans la tradition de l'Advaita, parle « d'experts dans la sagesse des Upanishads qui considèrent le monde comme s'il s'agissait d'une ville-de-nuages aperçue en rêve ».[8] Mais du point de vue du soi individuel, le *jiva*, le monde est parfaitement réel. Le *jiva* n'a pas tort de prendre le monde pour réel. Pour le *jiva*, il est réel. Le soi individuel et le monde empirique dont il fait l'expérience sont complémentaires ; les deux moitiés d'un seul phénomène, aussi réelle l'une que l'autre. Sans le monde – ou en tout cas sans *un* monde – dont on puisse faire l'expérience, il n'y a et ne peut y avoir aucun soi individuel. Si nous demandons, « Le monde est-il une illusion ? » nous devons répondre « Oui », d'un point de vue absolu, mais « Non » de notre point de vue actuel, qui est celui du *jiva*.

Le Brahman Saguna et le Brahman Nirguna

Exactement comme il y a un Soi réel et un soi illusoire, de même y a-t-il deux moyens de considérer la réalité fondamentale, Brahman. Nous avons vu que Brahman, de par sa propre nature ; est ineffable et ne peut être défini que négativement, en termes tels que le « n'est pas ceci, n'est pas ceci » des Upanishads. C'est le Brahman Nirguna – « le Brahman sans qualités » ; Brahman considéré du point de vue de la vérité ultime et entièrement à part des gunas ou qualités.

Mais Brahman peut aussi être considéré d'un point de vue relatif, celui du *jiva.* Dans ce contexte, Il apparaît comme Ishvara, le « Seigneur » de l'univers, supérieur à l'âme individuelle et séparé d'elle ; et alors non seulement possède-t-Il des qualités, mais Il est la source de toutes les qualités. C'est le Brahman Saguna – « Brahman avec des qualités » ; Brahman tel qu'il est connu en termes d'attributs ; Brahman tel que l'esprit humain peut Le concevoir.

Il ne s'agit pas là, bien sûr, de deux Brahmans différents, mais de deux manières différentes de comprendre le même Brahman. Le Brahman Saguna est le Dieu personnel de la religion, qui occupe une place centrale dans la tradition dévotionnelle au sein de l'hindouisme. Shankara reconnait entièrement ce point de vue dans son commentaire de la Bhagavad Gita. Néanmoins, pour lui, le Brahman Saguna demeure une façon de voir qui n'est valide qu'au niveau de la réalité provisoire, car c'est seulement à ce niveau que toute forme, quelle qu'elle soit, peut apparaître.

C'est donc l'esprit, avec son besoin de concevoir des objets et des qualités qu'il peut saisir, qui nous sépare de la Réalité Absolue. C'est notre individualité même qui nous tient éloignés de notre propre vraie nature. Toute position, quelle qu'elle soit, qui dépend du mental et de ses formes est *obligatoirement* inférieure à la réalité fondamentale. Aucune forme en mesure d'être conceptualisée et donc dépendant du mental, ne peut être la vérité fondamentale. Toutes les écoles qui négligent de se détourner des formes du mental doivent s'exclure de la vérité fondamentale. Pour cette raison, un célèbre texte de l'Advaita, le *Yoga Vasishtha*, offre le commentaire suivant : « Pour ceux qui n'ont pas la connaissance de la nature de la Déité, a été prescrit le culte de la forme et ce qui lui ressemble. À celui qui ne peut couvrir la distance d'un yojana (12 kilomètres), on offre la distance d'un krosha (3 kilomètres). »[9]

Du point de vue de l'Advaita, parler d'une réalité fondamentale possédant une personnalité est une contradiction dans les termes, un « Non-conditionné conditionné ». Aussi valable que soit cette idée au niveau de la réalité provisoire et de la religion pratique, elle ne peut être la vérité définitive. Shankara écrit :

> Quand on s'éveille à la non-différence entre l'âme individuelle et l'Absolu grâce à des textes… tel que « Tu es Cela », cela met fin à la notion d'âme individuelle souffrant la transmigration, et aussi à la notion d'Absolu en tant que monde créateur. Car toutes les notions empiriques de distinction, introduites par erreur, sont annulées et extirpées par la connaissance correcte.[10]

Maya

Brahman et le monde phénoménal, Atman et le soi individuel or *jiva* – sont, dit Shankara, des opposés, deux ordres de réalité. La réalité où vit le soi individuel et où opère le mental a pour forme la dualité, le mode d'être sujet-objet. Brahman et Atman – deux mots qui se rapportent à la seule et unique réalité – sont d'un autre ordre : ils sont Advaita, la Non-Dualité. Du point de vue de la dualité – celui d'un sujet qui fait l'expérience d'objets – la Non Dualité n'offre rien de saisissable et apparaît donc comme vide. Mais une fois que nous passons de l'autre côté, et qu'au lieu de nous identifier avec l'âme individuelle, nous nous identifions avec l'Atman derrière elle, la situation se renverse. Alors nous observons d'une manière non-dualiste. Ce qui à présent paraît irréel est vécu comme le Réel, et ce qui maintenant paraît réel est perçu comme illusoire

Il n'y a aucun lien entre les différents ordres de réalité, et cette disjonction est ce que le Védanta appelle *maya* – le mot signifie « illusion » ou « magique ». Maya est simplement le nom donné à quelque chose que l'on ne pourra jamais expliquer. C'est le hiatus entre deux domaines différents d'être, le point de rencontre entre la Réalité en tant que telle et la réalité apparente provisoire dont le soi individuel fait l'expérience et dans laquelle il existe.

C'est pourquoi la vie est pour nous si mystérieuse, c'est pourquoi la pensée et la parole se détournent déconcertées de Brahman et c'est pourquoi certaines questions demeurent sans réponses. Des réponses ne sont possibles qu'en termes du monde habité par le mental. Lorsque nous demandons, *Quand a commencé l'univers ?* ou *Pourquoi l'univers est-il venu à l'existence ?* Nous présumons déjà l'existence du temps et de la causalité. Mais le temps, l'espace et la causalité *font partie* de l'univers, ils en sont le fondement – et ils n'ont aucune existence ou application en dehors de lui. Des questions relatives à l'origine de l'univers – c'est-à-dire à l'origine de la manifestation en tant que totalité – ne peuvent jamais recevoir de réponse, mais nous *pouvons* comprendre pourquoi elles ne le peuvent pas. C'est parce que la question elle-même présume l'existence de l'univers (c.à.d. du temps, de l'espace et de la causalité) tout en demandant en même temps quelle est son origine. La question par conséquent n'a aucun sens. Nos esprits ne peuvent fonctionner que dans le cadre du temps, de l'espace et de la causalité ; c'est-à-dire dans le cadre de l'univers phénoménal. Maya est le nom donné à ce qui se produit lorsque nous en atteignons les limites.

Superposition

Pour Shankara, l'erreur dont découlent toutes les autres, est que nous ne faisons pas de distinction entre les degrés de réalité. Nous superposons les attributs du niveau relatif (c.à.d. de *jiva*) à la réalité absolue (l'Atman), et vice-versa. C'est *l'avidya,* l'ignorance, la racine à l'origine de tous nos maux. Nous confondons régulièrement notre nature en tant que témoin immuable (Atman) avec notre nature fondamentalement fictive en tant qu'individu (*jiva*) dans le monde des apparences. Le terme qu'utilise Shankara pour cette confusion est *adhyasa*, superposition. Dans la première phrase de son commentaire sur le Brahma Sutra, il explique que les deux, le témoin immuable ou sujet-conscience et tout ce qui pour lui est objet (le monde empirique, y compris notre soi individuel) sont de natures opposées « comme l'obscurité et la lumière ». Ils existent à des niveaux d'être différents. Et pourtant, poursuit Shankara, il est naturel pour l'homme d'être incapable de les distinguer, et naturel de superposer leurs natures l'une sur l'autre (naturel parce que c'est précisément ce processus qui fait de l'homme ce qu'il est, de sorte que le processus coexiste avec lui). Ainsi nous confondons ce qui est vraiment réel avec ce qui est fondamentalement irréel. Les états et les activités du corps-esprit sont attribués au Soi, le pur centre de la conscience. Nous disons « je suis vigoureux, mince, debout, en train de marcher, de sauter. » Ou vice-versa, le Soi est superposé à l'ensemble corps-esprit et nous disons, « cela me fait mal » quand en fait, cela fait mal au corps ; « je suis fatigué » quand les membres et l'esprit sont fatigués.

La Corde et le Serpent

Pour en faire l'illustration, Shankara prend l'exemple d'un homme qui marche le long d'un chemin à la tombée de la nuit. Juste devant lui, il voit quelque chose par terre dans la poussière. C'est un serpent. Un frisson de peur le traverse. Rapidement, il cherche quelque chose pour se défendre. Mais soudain, il s'aperçoit que ce n'est pas du tout un serpent mais tout simplement un morceau de vieille corde reposant là, tout à fait inoffensive. Il se détend, rit de son erreur et poursuit son chemin. C'est la superposition (*adhyasa*). Les caractéristiques d'une chose (le serpent) ont été superposées à quelque chose d'autre qui est en réalité tout à fait différent, et sur cette base, l'homme a été saisi d'émotions et prêt à s'engager dans des actions.

Il faut noter, cependant, que l'illusion repose sur quelque chose de réel, la corde. C'est parce que la corde est là, mais n'est pas clairement reconnue comme telle, que la superposition a lieu. De la même manière, le mental individuel et le monde qu'il perçoit se superposent à une réalité qui n'a pas été correctement comprise, l'Atman. C'est la Réalité mal perçue reposant derrière le monde empirique et le soi individuel qui leur donne leur réalité apparente et temporaire.

Ainsi nous, qui sommes dans notre vraie nature pure conscience bienheureuse, immuable et attachée à rien, la pré-condition et le fondement de toute apparence, nous identifions avec notre esprit, nos émotions, notre corps, notre famille, notre nation, notre maison, notre voiture, et tout le reste. En un mot, nous limitons notre conscience, nous devenons le *jiva*, l'individu, sujet au karma et plein de besoins, de désirs et d'inquiétudes. Le soi individuel n'est pas une réalité : c'est un *upadhi*, un « ajout qui limite » placé par-dessus l'Atman et obscurcissant sa réalité. La cause de cette chute est la fausse connaissance. La guérison est la connaissance correcte, *jnana*.

En bref, nous avons oublié qui nous sommes, et le processus menant à l'illumination est le processus de la redécouverte – non pas seulement en théorie, bien sûr, mais en tant qu'expérience vécue – de notre vraie nature. L'illumination est la correction d'une erreur, un changement de l'auto-identité. Ce changement se produit au moment où nous cessons de nous identifier avec le soi individuel limité (qui continue à apparaître mais a cessé pour nous d'être important), mais nous identifions avec le rayon immuable de la conscience qui est derrière lui et qui illumine toute expérience. C'est pourquoi la Mundaka Upanishad peut déclarer :

Quiconque en vérité connaît cet ultime Brahman,
devient Brahman lui-même.[11]

6. la nature de l'homme : re-naissance et karma

Pour le Védanta, c'est la connaissance qui produit la libération, une vue qui s'est largement répandue dans l'hindouisme. Mais il ne faudrait pas penser que le Védanta est simplement une entreprise théorique et intellectuelle. « Vous devez sans cesse contempler cette vérité et la méditer du début jusqu'à la fin.

Vous devez maintenant suivre ce chemin… Si vous conceptualisez cet enseignement pour divertir votre intellect, et ne le laissez pas agir dans votre vie, vous trébucherez et tomberez comme un aveugle. »[1] La théorie est importante mais elle n'est pas suffisante. Elle doit être transformée en connaissance vivante.

Pour cela, un programme a été établi qui réduit progressivement l'identification au soi individuel : en disciplinant les sens et les appétits sans avoir recours à un ascétisme extrême, par la gentillesse à l'égard des autres, la soumission au gourou, la non-violence à l'égard des autres créatures, la parole modérée et attentionnée, la réflexion sur les textes affirmant notre identité avec Brahman, la répétition de brèves formules verbales (*mantra*), des pratiques de visualisation où l'on contemple le Soi sous des formes symboliques, et peut-être grâce à des exercices respiratoires empruntés à l'école de Yoga. L'association avec d'autres personnes engagées dans une quête similaire, et l'aide personnelle d'un gourou ayant lui-même parcouru le chemin, sont importantes. De par ces moyens, les facultés intérieures sont purifiées et l'individualité devient de plus en plus transparente. À la fin, un changement réel de l'être commence à se produire : l'identité commence à se détacher du soi individuel pour rejoindre l'Atman qui, jusqu'alors, était caché derrière le *jiva*, comme le soleil derrière un nuage.

Rien sinon ce changement d'identité ne suffira, car la vérité fondamentale concernant la condition humaine n'est pas quelque chose que le soi individuel ou le mental, son instrument, peut saisir. Nos esprits sont eux-mêmes profondément impliqués dans le monde-illusion. D'après le Védanta, le vrai mysticisme consiste à comprendre que la vérité est au-delà des mots ou de ce que l'esprit est capable de saisir.

Nous avons vu que la réalité intérieure de l'homme n'est pas son mental. Pas plus que ne l'est le soi individuel que sert et exprime le mental. C'est l'Atman, la conscience immuable qui se tient derrière et illumine tout le reste. On peut comparer la conscience à la lumière pure; l'esprit à une fenêtre dont la condition est d'avoir des vitraux de différentes couleurs qui changent la lumière. Le but est de se débarrasser du conditionnement, et de connaître l'Atman et de s'identifier à lui dans sa pureté. C'est la libération.

Dans la pensée occidentale, l'esprit et la pensée ne se distinguent pas de la conscience. Les deux sont considérés comme identiques, la pensée étant simplement l'expression la plus haute de la conscience. C'est tout à fait différent en Inde. Ici, la distinction est clairement faite entre conscience et esprit: « la différence fondamentale entre la psychologie occidentale et la psychologie orientale est que la première *ne différencie pas* l'Esprit de la Conscience et que la seconde *le fait*. »[2] L'esprit n'est pas la même chose que la conscience; au contraire, c'est ce qui la limite et la conditionne. Du point de vue hindou, l'incapacité de l'Occident à faire la distinction entre l'esprit et la conscience est une erreur fondamentale et une grande source de faiblesse.[3]

Cette différence affecte toute la compréhension de l'homme. Là où la pensée occidentale, en particulier depuis Descartes, fait une distinction fondamentale chez l'homme entre l'esprit et le corps, dans la pensée hindoue la distinction est tout à fait différente. Pour l'hindouisme, la différence qui compte est celle qui existe entre, d'une part, la conscience et d'autre part, le corps-esprit. Les deux, comme nous l'avons vu, appartiennent à des ordres différents de réalité. L'esprit n'est pas distinct du monde phénoménal mais il existe à l'intérieur de celui-ci, et fait partie de lui. Il est physique par nature, composé d'une forme subtile de prakriti, et n'est donc pas essentiellement différent du corps. L'hindouisme, comme le bouddhisme, s'intéresse vivement à la nature de l'homme, aux différentes fonctions et attributs de l'individualité. La psychologie n'a pas été inventée en Occident. Il existe une longue tradition en Orient d'exploration de l'homme, tant dans sa composition que dans son conditionnement.

La Composition de l'Homme

Dans la Katha Upanishad, il y a un passage bien connu dans lequel l'être humain est assimilé à un chariot.[4] Platon a lui aussi recours à cette analogie, et la même image se retrouve au début de la Bhagavad Gita.

Dans ce passage de la Katha Upanishad, le chariot est le corps humain ; le conducteur est la faculté la plus haute du soi individuel, la *buddhi* ; les rênes dont il se sert et qu'il doit tout au long tenir fermement en main sont le *manas* ou l'esprit inférieur ; les chevaux, qui peuvent être bien ou mal entraînés, sont les sens ; et le sol sur lequel ils se déplacent sont tous les objets que rencontrent les sens. Dans ce chariot se trouve le Soi, l'Atman – mais quand il s'identifie à l'esprit et aux sens, nous dit l'Upanishad, il est alors « le goûteur de plaisir » Tels sont donc quelques uns des éléments dont l'homme est composé. Nous avons déjà rencontré plusieurs des termes de la philosophie Sankhya, mais examinons-les maintenant dans ce nouveau contexte.

Pour commencer, à bord du chariot nous avons le Soi. Mais quand le Soi se superpose à l'esprit et qu'il se confond avec lui, il semble être « le goûteur de plaisir », l'oiseau qui goûte le fruit, le soi individuel ou *jiva*. Celui qui dirige ce soi au cours de son voyage et contrôle l'ensemble du véhicule dans lequel il traverse la vie est le conducteur du chariot, la buddhi. La buddhi n'est pas facile à définir. C'est celle de nos facultés qui est la plus proche de l'Atman – cet aspect « le plus élevé » du mental qui guide notre vie. Il ne discute pas les pour et les contre mais il connaît et comprend, discrimine et juge, sélectionne et résout. Le mot buddhi est souvent traduit par « intellect », et cela correspond au concept plus large et plus élevé de la Raison qui, pendant un temps, prévalut en Occident. Mais la buddhi inclut aussi l'idée occidentale de conscience morale. Dans sa vraie nature, c'est la faculté de jugement impartial et donc de vrai jugement, la source de sagesse, d'idéalisme et de prudence. La buddhi sait ce qui est juste. Mais les émotions peuvent aussi la faire osciller et la corrompre en lui faisant choisir son propre intérêt.

L'instrument qu'utilise la buddhi est manas, l'esprit inférieur. Manas a deux aspects. L'un d'eux est l'esprit-sens que la pensée indienne considère souvent comme le sixième sens ; le moyeu d'où rayonnent les cinq autres sens (ainsi que les cinq pouvoirs d'action). À travers lui, le soi entre en contact avec les objets extérieurs, que ce soit en rêve ou dans l'état d'éveil, et interprète les impressions que lui renvoient les cinq sens, les transformant en perceptions et donnant forme au monde extérieur.

Mais manas est aussi la pensée discursive. Il débat et doute, compare, calcule les conséquences, il ne prend pas de décisions, et offre des possibilités à la buddhi. Alors que la buddhi est en principe impartiale et sans passion, manas est entièrement la proie des désirs et des peurs. Durant l'éveil et pendant le rêve, il n'est jamais au repos ; il offre un courant continuel d'impressions, d'impulsions, de goûts et dégoûts, de désirs et d'émotions à la buddhi. Les rênes tendues et vibrantes de manas relient la buddhi aux sens et attirent le *jiva* dans le monde phénoménal.

À ces éléments, il nous faut en ajouter plusieurs autres qui n'ont pas été mentionnés dans l'analogie. En tout premier vient *ahamkara*. Nous avons vu dans un précédent chapitre que c'est le « faiseur du Je », le principe d'individualisation, la conscience que nous avons de nous-même en tant qu'individu distinct avec ses propres intérêts à protéger. Dans la hiérarchie des éléments qui composent le monde intérieur de l'homme, ahamkara est inférieur à la buddhi et supérieur au manas. La buddhi est en principe supra-individuelle, c'est la faculté qui sait que les choses sont ce qu'elles sont. Tant qu'elle conserve sa place dans la hiérarchie, ses jugements ne sont pas influencés par l'auto-intérêt. Mais quand la personnalité tombe dans la confusion, alors la buddhi peut se trouver influencée par ahamkara et être incapable de remplir correctement sa fonction de jugement. Manas, par ailleurs, se situe en dessous d'ahamkara et par conséquent n'est concerné que par les intérêts personnels. Il considère tout en ces termes. C'est sa nature, et le rapport à soi-même n'est jamais absent de ses calculs.

Le dernier élément important dans la composition de l'homme est *citta* (à ne pas confondre avec *Cit* qui signifie conscience). Le mot vient d'une racine signifiant « accumuler ». Parfois citta est simplement utilisé pour indiquer l'esprit en tant que tout, mais dans son aspect plus spécialisé, c'est la part de l'esprit où s'accumulent les souvenirs, et de manière bien plus importante, c'est l'inconscient profond, les souvenirs émotionnels qui conditionnent l'individu. Citta est avant tout l'esprit subconscient, et nous verrons qu'il est le siège du *karma*.

OM - Le Son Primordial

Il y a une autre manière de représenter l'être intérieur de l'homme et en fait, la totalité entière. C'est par le symbole, ou plutôt le son, *Om*. *Om* est envisagé comme le son primordial d'où l'univers tout entier a surgi. Les hindous le considèrent comme étant Brahman lui-même sous la forme du son.

> Tout le Vedanta, toute la philosophie des hindous, n'est qu'un exposé de cette syllabe Om. Om embrasse l'univers entier. Il n'existe aucune loi, aucune force dans le monde entier, pas un objet au monde qui ne soit pas compris dans la syllabe Om. Vous verrez que cette syllabe embrasse

> tous les niveaux d'être l'un après l'autre, tous les mondes, toutes les phases de l'existence.[5]

Écrit dans sa forme indienne, le son *Om* est constitué de quatre parties. Les trois courbes qui sont jointes représentent les trois niveaux de la réalité où se meut la conscience individuelle de l'homme. La courbe inférieure est le monde et l'expérience éveillée, correspondant au corps physique et à l'univers matériel. La courbe du milieu est l'état de rêve, et correspond à la vie mentale – le monde intérieur des rêves, de l'imagination et de l'expérience subjective. La courbe au-dessus est dite représenter l'état de sommeil sans rêve durant lequel, selon Shankara, la conscience persiste (car lorsque nous nous réveillons, nous avons conscience d'avoir dormi profondément). Cet état correspond à ce qu'on appelle *karana sharira* ou « corps causal » : le terrain dont on dit qu'il est « plus subtil que le plus subtil » et d'où émanent les deux autres états. C'est la cause première de la manifestation et le germe de l'existence du *jiva*.

Au-dessus de ces trois courbes se trouve un point avec en dessous un arc qui souligne sa séparation d'avec le reste. Ce point représente l'autre ordre de réalité qui réside entièrement hors de la manifestation et que l'esprit ne peut jamais saisir. On l'appelle simplement *turiya*, « le quatrième ». Selon Shankara, « C'est le Soi pur, au-delà des mots et de la signification, au-delà de la parole et du mental. Il représente la dissolution finale de l'univers, le principe de la non-dualité béatifique. »[6]

Ainsi, méditer sur le symbole *Om* revient à méditer sur les différents niveaux d'être tels qu'ils se présentent dans notre existence et, une fois de plus, tels que l'ensemble de l'univers les reflète. Shankara explique qu'au moyen de la concentration, le soi individuel se rassemble et est ensuite précipité dans le *turiya*, la Réalité transcendante, avec laquelle il s'uni telle la flèche qui atteint la cible :

> Saisis le grand arc trouvé dans les Upanishads. Fixes-y une flèche aiguisée par la méditation constante, c'est-à-dire « entraînée ». Puis tends l'arc. C'est-à-dire retire ton esprit et tes sens de leurs objets naturels et concentre-les sur une cible ou un but… Om est l'arc. Om est l'instrument qui permet à la flèche du soi empirique de percer le Principe Impérissable, comme l'arc est l'instrument qui permet à la flèche de percer sa cible.[7]

Re-naissance

La croyance selon laquelle l'âme individuelle, le *jiva*, naît à nouveau en ce monde dans un autre corps, ne fait pas partie de la tradition védique la plus ancienne, mais elle est présente dans les premières Upanishads. Là, nous apprenons que, comme une sangsue ou une chenille ayant atteint l'extrémité d'un brin d'herbe se propulse sur un autre brin d'herbe, l'âme individuelle, à l'approche de la mort, rassemble ses pouvoirs et ensuite, alors qu'elle quitte le corps, se dirige vers un nouveau corps.[8] Même les dieux, selon certains exposés, forment une partie de la chaîne de nouvelles naissances qui va des êtres les plus inférieurs jusqu'aux plus élevés.

Les hindous ne s'accordent pas sur la forme que peut avoir une vie future. Selon un point de vue, il n'est pas du tout certain que l'on renaisse sous une forme humaine ; une re-naissance animale est tout à fait possible. Il est difficile d'obtenir une vie humaine ; c'est un rare privilège que l'on atteint seulement après de nombreuses incarnations animales, et l'occasion unique d'illumination qu'offre une vie humaine ne doit en aucun cas être manquée. Un autre point de vue, qui est peut-être plus répandu, est qu'une fois qu'un *jiva* a atteint, après de nombreuses incarnations, l'état humain, un seuil a été franchi. Il ou elle ne retombera plus dans une forme animale sauf dans les circonstances les plus exceptionnelles, et encore peut-être même pas. Mais, aussi importantes que paraissent de telles questions, ce sont en un sens des détails ; le point central c'est que selon le point de vue hindou, la re-naissance, sous une forme ou sous une autre, aura lieu.

Karma

La cause de la re-naissance peut se résumer en un seul mot – *karma*. Le karma n'est pas en lui-même un concept difficile ; en fait, c'est le résultat logique de ce qui s'est passé précédemment. Nous avons vu que la croyance en un ordre inhérent de l'univers – qu'exprime l'idée de *rita* dans la période védique, et plus tard de *dharma* – est profondément enracinée dans la tradition hindoue. Si nous combinons cela avec la re-naissance, la conséquence naturelle est le concept du karma. Le karma n'est rien d'autre que l'idée de causalité appliquée à la sphère morale. La plupart des gens acceptent que rien n'arrive sans cause dans le domaine physique ; les hindous étendent ce principe à la sphère morale. Une fois de plus, nous acceptons qu'il y ait au moins un certain lien entre les pensées et les actions d'une personne, et le genre de vie dont elle fait l'expérience. L'hindouisme, dans la doctrine du karma, applique simplement ce principe de manière logique. Notre karma est le résultat de notre propre mérite et démérite passés. La causalité s'étend à tout dans la sphère morale comme elle s'étend à tout dans la sphère matérielle.

Chacune de nos actions, chacune de nos expériences, dans la mesure où elle a un impact sur nos émotions, laisse une trace dans l'esprit. Plus l'émotion est forte, plus profonde est la marque qu'elle laisse. Dans la psychologie hindoue, ces impressions mentales inconscientes s'appellent *vasanas*, et avec le temps elles forment de profonds schémas, gravés dans l'être du *jiva*. Un schéma établi de cette sorte est un *samskara*, une tendance profondément enracinée – des impulsions émotionnelles, des goûts et des dégoûts, des espoirs et des peurs – qui conditionnent le soi individuel. Les samskaras limitent notre liberté d'action. Ils déterminent notre caractère ; ils *sont,* dans une large mesure, notre soi individuel. Alors que le souvenir conscient ne survit pas à la mort, ces schémas, cachés au cœur du *citta* – la mémoire émotionnelle – passent d'une vie à l'autre. D'une façon qui nous est incompréhensible, ils déterminent les circonstances de la re-naissance. De cette manière, chaque enfant entre (ou plutôt re-entre) au monde déjà conditionné par les samskaras de ses vies antérieures. Reposant pour l'instant à l'état dormant dans le citta, ceux-ci détermineront dans une large mesure sa vie future.

Ainsi le karma, qui n'est rien d'autre que les samskaras, n'est pas quelque chose imposé de l'extérieur. C'est la manière dont nous nous sommes faits. « Grossier et raffiné, existant en grand nombre, celui qui est incarné choisit les formes selon ses propres qualités ».[9] C'est également une erreur que de considérer le karma comme une doctrine de déterminisme absolu. Tandis que, dans une large mesure, notre situation est déterminée par les samskaras, nous avons toujours une certaine liberté de choix dans les limites qu'imposent ces samskaras. La manière dont nous utilisons cette liberté détermine notre situation future, modifiant les samskaras, et augmentant ou diminuant notre future liberté d'action.

Le réel problème que pose le processus du karma pour l'individu n'est pas qu'il ne nous offre aucun choix, mais qu'il s'auto-perpétue, provoquant un cycle incessant de vies et de morts. Une vie génère les conditions de la vie suivante. Après chaque mort, les impulsions qui n'ont pas été résolues, les samskaras enfouis dans l'être intérieur de l'homme, attirent à nouveau le *jiva* dans le monde. C'est le cercle de la vie et de la mort, la roue sans fin de la re-naissance sur laquelle tourne l'individu. Shankara résume la situation de la manière suivante :

> Je suis autre que le corps… Je suis celui qui, à partir de la force du mérite et du démérite de mes actions passées, suis entré dans le corps comme un oiseau entre dans son nid. Et à la mort du corps actuel, je me dirige sans cesse vers d'autres corps par la force du mérite et du démérite, comme un oiseau se dirige vers d'autres nids après que le premier ait été détruit. De même, dans ce cycle sans commencement de transmigration, j'ai acquis et perdu bien des corps par la force du mérite et du démérite issu de mes actions, apparaissant et disparaissant comme dieu, homme et bête, tournant impuissant sur la roue de la naissance et de la mort comme

> un seau attaché à la poulie d'un puits. À la fin, je suis arrivé à mon corps actuel… Les corps vont et viennent comme les vêtements.[10]

C'est donc là la situation où se trouve le soi individuel ou *jiva*. La libération ou *moksha* est la libération du karma, du conditionnement des samskaras. Et les diverses « voies » de l'hindouisme sont autant de façons de modifier les samskaras : d'empêcher la formation de nouveaux samskaras (karma yoga), de remplacer les samskaras négatifs par d'autres spirituellement plus fructueux (bhakti yoga), et même de réduire le processus tout entier par la prise de conscience de sa nature simplement apparente et de son essentielle irréalité (jnana yoga).

7. le mouvement bhakti

Après les traditions du Yoga et du Védanta, nous arrivons au troisième élément important de l'hindouisme, le mouvement bhakti. En termes de religion populaire, on doit lui accorder la première place, car c'est sans aucun doute l'expression la plus répandue et la plus visible de l'hindouisme.

Le mot *bhakti* signifie dévotion. Les aspects de l'hindouisme que nous avons examinés jusqu'à présent ont été centrés sur la connaissance. L'ancienne religion sacrificielle de la période védique consistait à connaître ce qui était requis, et les brahmines étaient les gardiens de cette connaissance. Les sages des Upanishads s'intéressaient aussi à la connaissance – connaissance de soi, connaissance de Brahman. Le Sankhya était également une voie de la connaissance, et même l'école de Yoga, avec toute l'importance qu'elle accorde à la pratique technique, est fondée sur la connaissance. Le mouvement bhakti diffère de toutes ces voies. Il reconnaît l'importance de la vie émotionnelle. L'homme n'est pas seulement intellect. Il est aussi émotion et volonté, cœur et sentiments. Ce sont là les forces qui lui donnent de l'énergie et qui dirigent ses actions et ses pensées. Elles sont les sources de sa vie.

Le mouvement bhakti estime que l'homme souhaite aimer le bien, et que si le bien lui est proposé, il sera attiré par lui. Il ne cherche pas à dépasser les émotions mais à les intégrer dans la vie spirituelle, à les utiliser dans l'intérêt de la croissance spirituelle; par suite, il a pu offrir une voie religieuse efficace à la grande masse des hommes et des femmes en Inde. La bhakti ne pose aucune pré-condition. Elle ne requiert aucun enseignement. Elle est ouverte à tous.

Le mouvement bhakti est vaste et possède de nombreux aspects, et nous pouvons seulement en approcher quelques-uns. Il apparaît pour la première fois sous une forme distincte au quatrième siècle avant notre ère avec l'arrivée de plusieurs groupes qui vénéraient un Dieu suprême sous des noms tels que Vasudeva, Bhagavan (« l'Adorable »), Narayana et Hari. Avec le temps, tous ces noms en sont venus à être assimilés au dieu védique, Vishnu,. Également assimilé à Vishnu furent les deux grands héros de la littérature épique, Krishna et Rama : considérés tous deux comme ses *avataras* ou incarnations. De ce fait, Vishnu a énormément grandi en stature et pour des millions d'hindous est devenu non seulement un dieu parmi les autres, mais le Dieu suprême, Dieu lui-même.

D'autres se sont concentrés de manière similaire sur le dieu Shiva. Nous avons vu que certains aspects de Shiva remontent probablement à la civilisation de la Vallée de l'Indus ; d'autres appartenaient au dieu védique, Rudra, avec lequel Shiva a fusionné. Depuis lors, Vishnu et Shiva, considérés chacun comme Dieu lui-même par leurs adeptes, ont été les principaux réceptacles du grand flot de dévotion qu'est le mouvement bhakti. Néanmoins, la bhakti tend à être plus étroitement associée à Vishnu qu'à Shiva. La raison en est que le culte de Vishnu est presque entièrement englobé dans le mouvement bhakti ; alors que dans le culte de Shiva, la dévotion constitue seulement un élément important parmi d'autres – par exemple, Shiva est vu également comme le Grand Yogi. De ce fait, les termes *bhakti* et *vaishnavisme* sont souvent, bien que de façon quelque peu inexacte, utilisés comme étant synonymes.

La Bhagavad Gita

Nous n'avons pas encore examiné l'œuvre probablement la plus connue de la littérature hindoue. La *Bhagavad Gita* – « le Chant de Bhagavan, l'Adorable » – est le premier grand monument du mouvement bhakti. Bien que cette œuvre ne fasse pas partie des Védas, la majorité des hindous la portent en très haute estime.

La Gita n'est pas un livre séparé, mais un épisode inclus dans un vaste poème épique, le Mahabharata. Celui-ci raconte l'histoire d'une grande guerre entre les Pandavas, héritiers légitimes d'un important royaume dans la région où se trouve à présent Delhi, et leurs cousins, les Kauravas, qui ont usurpé le royaume. Comme dans le cas de la guerre de Troie – et le Mahabharata est souvent comparé à l'Illiade, bien que n'ayant pas son unité – ce conflit a vraisemblablement eu lieu (il est généralement daté entre 900 et 1400 av. JC). La Gita a été ajoutée au Mahabharata peut-être autour de 200 av. JC ou un peu avant, l'un des nombreux embellissements apportés à l'histoire originelle.

La Gita se présente sous la forme d'un dialogue entre Arjuna, le principal guerrier parmi les Pandavas, et son ami Krishna, le prince de Dvaraka, qui conduit son chariot. Le texte est placé de façon dramatique au moment le plus crucial du conte épique. Les deux puissantes armées sont face à face, et la bataille finale va bientôt s'engager. Alors que les premières flèches commencent à voler, Arjuna et Krishna arrivent dans leur chariot entre les armées et s'arrêtent pour observer la force opposée. Arjuna regardent ceux qu'il va combattre et est soudain pris de doute. Ce n'est pas la peur qui le trouble, car aucun guerrier n'est plus courageux ou plus habile que lui. C'est le doute quant à la moralité de ce qu'il est sur le point de faire. Le massacre sera effrayant. Là dans l'armée opposée, il aperçoit des hommes avec lesquels il a grandi, des parents, des maîtres aimés et révérés. Il doit chercher à les tuer tous. Certainement, rien ne peut justifier un acte aussi terrible? Il vaudrait mieux se laisser tuer sans résistance, s'écrie-t-il, que de commettre le péché de massacrer ses propres parents. Le grand Arjuna s'effondre dans son chariot, le cœur étreint par l'indécision et la douleur. La réponse de Krishna forme le reste du dialogue; et curieusement peut-être, il dit à Arjuna qu'il doit combattre.

La manière dont le dialogue se déroule est remplie de significations symboliques. Les armées qui s'opposent représentent la dualité inséparable de la vie dans le monde. Le chariot est le même chariot de l'homme que nous avons trouvé dans la Katha Upanishad (voir chapitre précédent). Arjuna est le *jiva*, l'âme individuelle – brave, active, pleine d'énergie, et pourtant prise au piège, stupéfiée, déchirée entre les forces opposées du bien et du mal, de la souffrance et du plaisir. La seule différence est que le conducteur du chariot, au lieu d'être la buddhi, l'esprit supérieur, est maintenant le Seigneur lui-même, la réalité divine qui réside dans le cœur de chaque être. Selon les règles indiennes de la chevalerie, les conducteurs de chariot n'étaient pas considérés comme des combattants – Krishna, l'Atman, n'est pas lui-même engagé dans la bataille de la vie ; il reste à l'écart en tant que témoin. Les parents et les maîtres révérés qui se trouvent dans l'armée opposée et qu'Arjuna répugne à détruire, sont significatifs : ce sont les éléments de l'individualité auxquels nous attachons de la valeur, mais qui, néanmoins, doivent être sacrifiés si nous voulons parvenir au Soi supra-individuel.

L'enseignement qu'Arjuna reçoit est complexe, et couvre l'ensemble de tout l'hindouisme tel qu'il existait alors. Tandis que la Gita est d'abord et avant tout une œuvre appartenant à la bhakti, elle est aussi plus que cela. Sa grandeur repose dans la manière dont elle unit les tendances principales de l'époque, amalgamant les traditions du Sankhya et du Yoga aux intuitions des Upanishads et à celles du mouvement bhakti. Il en résulte, de manière typiquement hindoue, une puissante synthèse au lieu d'une fragmentation en des positions opposées.

La Gita enseigne qu'il y a trois yogas, ou disciplines, grâce auxquelles on peut atteindre la fin spirituelle de la vie. Ce sont le karma yoga, le bhakti yoga et le jnana yoga – les voies de l'action, de l'amour et de la connaissance – et jusqu'à un certain point, celles-ci constituent les trois phases d'un même processus. Nous avons déjà rencontré le jnana yoga, la voie de la connaissance, et l'on pourrait croire, en lisant la Gita, que celle-ci lui accorde la première place. Cependant, la Gita fut composée bien avant l'époque de Shankara, et chez elle, le jnana yoga est associé à l'ancienne tradition du Sankhya, ainsi qu'à la tradition des Upanishads.

Le karma yoga, la voie de l'action, est la discipline de l'activité sans attachement, et constitue une part importante de l'enseignement de la Gita. C'est notre engagement émotionnel dans l'action, non pas l'action elle-même, qui nous lie à la roue de la re-naissance. Krishna dit à Arjuna que le Soi réel de l'homme n'agit pas, et dans la bataille à venir, ce Soi ne tue pas, pas plus qu'il n'est tué. Nos corps et nos esprits sont formés de prakriti. Nous croyons être les acteurs, mais en réalité ce sont les trois *gunas* de prakriti qui agissent.

Les gunas sont sans cesse actifs dans tous les phénomènes, et tant que nous sommes dans le corps, ils ne cessent jamais d'agir en nous. Ce n'est pas bon de tenter de se retirer de l'action, comme le propose Arjuna : un être incarné ne peut jamais éviter l'action. Ce qui compte, c'est de ne pas nous identifier à elle – de rester conscient de notre constante identité intérieure, qui demeure séparée de toute activité. Les actions nous lient lorsque nous perdons cette identité et que nous croyons être nous-mêmes, dans notre réalité complète, les auteurs de ces actions. Alors il y a engagement émotionnel. Alors se forment les *vasanas*. Alors nous sommes liés par le karma que nous avons nous-même créé.

Puisqu'il n'y a aucun moyen d'échapper à l'action, la seule question est de savoir quelle sorte d'action entreprendre. Si nous agissons pour des motifs personnels, il y a création de karma. Par conséquent, dit Krishna, c'est ce qu'ordonne le devoir, ou *dharma*, qui doit être entrepris. L'homme sage agit selon ce que le devoir et la nécessité lui dictent ; et en ce qui concerne Arjuna, il suivra son *dharma* en tant que guerrier sur le champ de bataille. Un tel homme agit sans attachement. Il ne recherche pas les fruits de l'action. Il accepte avec calme tout ce qui survient, sachant que dans leur réalité la plus profonde, les hommes et les femmes restent intouchés par ce qui se produit. C'est l'art de vivre – le karma yoga, le yoga de l'action.

Mais parmi les trois voies, celle à laquelle la Gita accorde le plus d'attention est le bhakti yoga, la dévotion au Seigneur. Krishna lui-même est ce Seigneur. Il est Bhagavan, l'Adorable. Pour ceux qui suivent la voie de la dévotion, la Réalité Suprême n'est pas impossible à connaître. La Réalité Suprême est *Ishvara*, « le Seigneur », personnel, aimant, miséricordieux, et répondant à notre amour. Il est partout, l'univers entier est Son corps. Comme l'ont reconnu les Upanishads,

Il n'est pas seulement au-delà des qualités (Nirguna) mais Il possède aussi des qualités (Saguna) ; il est non seulement transcendant mais également immanent :

> Tu es l'oiseau bleu sombre et jaune aux yeux flamboyants ;
> tu es la matrice de l'éclair, tu es les saisons, les océans.
> Sans commencement, tu te maintiens par ta toute-puissance,
> toi de qui tous les êtres sont nés.[1]

Vishnu, la Réalité Suprême, est la source inexhaustible de l'univers, d'où proviennent toutes ses formes, toute sa gloire et sa beauté. Au milieu de la Bhagavad Gita, Krishna révèle à Arjuna, le fils de Pandu, Sa forme universelle en tant que Seigneur Suprême, l'Être infiniment glorieux qui est la source de tout :

> Si dans le ciel la lumière de mille soleils fusait à la fois, elle serait semblable à la lumière de ce grand Être.
> Alors le fils de Pandu vit ramassé en cette place – le corps du dieu des dieux – l'univers entier avec ses multiples parties.[2]

Mais cette vision de la Totalité n'est pas une vision réconfortante pour le soi individuel. Elle est, nous dit la Gita, à la fois merveilleuse et terrible, et face à cette vision, les mondes tremblent. Même Arjuna peut à peine la soutenir. Il voit les grands guerriers des deux armées broyées par le passage du temps, et toutes les formes de l'univers se précipitant vers leur destruction. Et pourtant, le puissant Seigneur de l'Univers, dans l'être duquel ces formes existent et disparaissent, est en même temps proche de nous. Il est dans le chariot d'Arjuna, le Seigneur demeurant au cœur de chaque créature. À la fin de la Baghavad Gita, Krishna dit à Arjuna :

> Apprends encore de mes lèvres le plus grand secret, la parole suprême : tu m'es inébranlablement cher ; c'est pourquoi je vais te dire ce qui t'est salutaire.
> Que ton esprit demeure en moi, que ta dévotion s'adresse à moi ; pour moi tes sacrifices, à moi tes hommages et tu viendras à moi ; en vérité, je te le promets, car tu m'es cher.
> Abandonnant tous tes devoirs, ne viens qu'en moi chercher refuge ; c'est moi qui te délivrerai de tous les maux ; ne t'afflige pas.[3]

« Ne viens qu'en moi chercher refuge » c'est là le message essentiel de la bhakti.

La Bhakti dans l'Inde du Sud

Le mouvement bhakti s'est développé tout au long du premier millénaire de notre ère. L'Inde du sud a joué un rôle important dans ce développement ; à tel point que certaines sources affirment que la bhakti a ses origines dans le sud. Entre les septième et neuvième siècles, le mouvement dévotionnel a atteint une grande intensité dans les régions de langue tamoul de l'Inde du sud.

Ici, deux groupes de saints poètes, les soixante-trois Nayanars ou « chefs », qui vénéraient Shiva, et les douze Alvars qui vénéraient Vishnu et son *avatara* Krishna, ont exercé une profonde influence, et c'est encore le cas aujourd'hui. Les Alvars et les Nayanars ne revendiquent aucun mérite pour eux-mêmes. Ils s'offrent à la miséricorde de Vishnu ou de Shiva. Pour eux, l'abandon de soi est la voie du salut. L'on ne vénère pas Dieu par le sacrifice ou la méditation, mais par la dévotion et le service, donnés sans pensée de retour. On est sauvé non pas par ses propres efforts, mais par la grâce du Seigneur. Le souvenir constant de Dieu et la répétition de son nom attireront sa grâce. Plutôt que de chercher à transcender la condition individuelle à la façon du Védanta, ils cherchent une relation intense avec Dieu, ce qui, pour l'individu, implique une existence séparée. Ils cherchent à jouir de Sa présence après la mort, et dans la vie, à faire l'expérience de sa beauté présente à travers le monde :

> Béni, béni est le monde ; la sombre malédiction de la vie est levée.
> Le gaspillage a été supprimé, et l'enfer est en ruines.
> La Mort, épuisée, ne possède ici rien qu'elle puisse dire sienne.
> Vois, les âges sombres sont morts,
> Car partout sur la terre des myriades de serviteurs de Dieu
> Chantent et dansent, dansent et chantent Ses louanges.[4]

Les Nayanars et les Alvars établirent un modèle qui, plus tard, en vint à caractériser le mouvement bhakti à travers l'Inde tout entière. Tout d'abord, étant donné que la relation de l'individu avec Dieu était primordiale, ils ont eu tendance à abandonner les formes religieuses traditionnelles et les restrictions imposées par le système des castes. Par suite, le mouvement bhakti a pris parfois un caractère presque révolutionnaire, et initialement, les brahmines quelque fois s'y opposèrent. Les membres d'une caste supérieure et ceux d'une caste inférieure, riches et pauvres, hommes et femmes, savants et ignorants, tous pouvaient suivre cette voie. Nammalvar, le plus grand des poètes alvars, dont les chants, disait-on, contenaient l'essence des Quatre Védas, était un Shudra de basse extraction ; Kulashekhar était un roi ; Andal, une des saintes alvars et parmi les poètes, l'une des plus célèbres de l'Inde, non seulement était une femme, mais appartenait à une caste inférieure. L'esprit indépendant de ces deux groupes se retrouve dans l'un des chants nayanars :

> Nous ne sommes les sujets de personne, nous ne craignons pas la mort ;
> Nous ne souffrirons pas en enfer ; nous ne vivons pas dans l'illusion ;
> Nous sommes transportés ; nous ne connaissons aucuns maux ; nous ne nous courbons devant personne ;
> Pour nous tout est bonheur.[5]

En second lieu, ils exprimaient leur vision par des chants qui n'étaient pas composés dans la langue littéraire et religieuse habituelle, le sanscrit, mais dans la langue vernaculaire – dans leur cas, le tamoul. Cela correspondait au caractère populaire du mouvement bhakti. Ils écrivaient d'une manière à laquelle chacun pouvait s'identifier. Leurs intuitions religieuses s'exprimaient dans le langage des sentiments humains familiers, souvent celui de l'amour passionné :

> Il a baisé ces épaules, ces seins ;
> Et je ne sais où chercher refuge.
> Je suis la fleur
> Que l'Abeille Divine a butinée et déchirée.[6]

Ces chants qui, à un profond sentiment religieux allient qualité poétique et beauté musicale, se sont rapidement répandus parmi le peuple. Ils n'ont jamais été oubliés. Jusqu'à ce jour, ils sont connus et aimés à travers tous les territoires tamouls.

Les Puranas

Une expression très différente du mouvement bhakti, qui s'est développée environ à la même époque, est la littérature puranique. Le mot *purana* signifie « ancien », et les puranas rendent compte des anciennes traditions qui se sont accumulées hors des Védas. Sous l'influence des diverses sectes du mouvement bhakti, elles furent largement remaniées et révisées tandis que des puranas entièrement nouvelles leur étaient ajoutées.

Il existe dix-huit majeures puranas. Elles servent de dépôt au savoir traditionnel de l'hindouisme, exposant d'anciennes idées sur l'origine du monde et transmettant des contes relatifs à des dieux et à des sages ; en même temps, elles adaptent ces contes pour donner la première place à leur déité favorite – généralement Vishnu, Shiva ou la déesse Devi. Récitées devant de grandes audiences, les puranas, plutôt que les Védas, sont devenues les véritables écritures du mouvement dévotionnel.

Avec les puranas, nous observons un aspect différent et beaucoup plus orthodoxe du mouvement bhakti par rapport à ce qu'offrent les alvars, ou, plus tard, certains des saints chantants de l'Inde du nord. Les puranas furent composés en sanscrit par des brahmines, et tout en restant fidèles au mouvement dévotionnel, soutiennent l'orthodoxie. Alors que le mouvement bhakti se développait, un nombre croissant de brahmines y adhérèrent. Ayant perdu une grande partie de la puissance associée à l'ancienne religion védique, ils pouvaient à présent tirer partie des nouvelles énergies émergeant du mouvement dévotionnel. De ce fait, en établissant une synthèse entre leurs propres traditions et les idées nouvelles, les brahmines gagnèrent un nouveau souffle. Au bout du compte, la plupart des grandes figures des nouveaux développements en sont venues à sortir de leurs rangs. Les brahmines fondèrent des temples, ou même d'entières *sampradayas* ou sectes, et celles-ci sont restées associées à leurs descendants. À présent, les grandes sectes bhakti sont parmi les principaux bastions des brahmines.

Ramanuja

Les deux traditions, celle des alvars et celle des brahmines qui avaient adopté le mouvement bhakti, s'unirent au cours du onzième siècle en la personne de Ramanuja. Ramanuja était un brahmine du pays tamoul, qui attachait la plus haute importance aux chants des alvars. Il avait aussi une connaissance approfondie de la tradition du sanscrit, de sorte qu'il pouvait défendre les positions de la bhakti en termes acceptables par tous les cercles érudits de l'Inde. Il fournit ainsi les fondements théoriques sur lesquels devait s'appuyer à l'avenir une grande partie du mouvement bhakti.

Ramanuja entreprit de construire un nouveau modèle du Védanta, une interprétation différente des trois textes sur lesquels Shankara avait fondé sa position – les Upanishads, le Brahma Sutra, et la Bhagavad Gita. Son objectif était double : d'abord, démontrer l'orthodoxie du mouvement dévotionnel vaishnava, et deuxièmement, montrer la supériorité de la dévotion en tant que voie de salut. Plus tard, d'autres maîtres du vaishnava devaient suivre son exemple et présenter encore d'autres versions du Védanta, chacune visant à défendre une école dévotionnelle particulière. Chacun des nouveaux systèmes s'éloigna un peu plus des Upanishads et se rapprocha davantage des puranas.

Les efforts de Ramanuja et après lui, des autres maîtres du vaishnava ont eu de l'influence mais il est peu probable que leurs tentatives en vue de donner une base théorique indépendante au mouvement bhakti aient été une bonne idée. L'essence de la bhakti est qu'elle n'est pas théorique. C'est une voie de pratique, pas une voie de connaissance ; et la théorie y est finalement toujours subordonnée aux exigences pratiques de la voie. Les véritables réalisations des écoles de la bhakti ne relèvent pas de la théorie mais de la pratique.

Le Mouvement Bhakti Ultérieur

Au cours du dernier millénaire, le mouvement bhakti, en particulier sous ses formes vaishnava, continua à fleurir. La grande Shri *sampradya*, du nom de l'épouse de Vishnu, la déesse Shri, est étroitement associée à Ramanuja. C'est aujourd'hui la plus ancienne des sectes bhakti et une véritable force dans l'Inde du sud. D'autres traditions sont centrées sur les incarnations majeures de Vishnu – Rama et Krishna. L'histoire du Seigneur Rama, qui, à partir de l'Inde, s'est répandue à travers toute l'Asie du sud-est, est incluse dans l'un des deux grands poèmes épiques de l'Inde, le Ramayana. Le beau récit de cette histoire en langue hindi, composé au seizième siècle par le poète Tulsidas, est aujourd'hui peut-être le livre le plus aimé et le plus populaire de l'Inde du nord.

Au moins aussi répandu et significatif est le courant de dévotion adressé à Krishna, qui, comme nous le verrons, en se développant, a pris de nouvelles directions. Il existe aussi une forme importante du mouvement bhakti qui s'adresse à l'aspect sans forme et inconnu de la Réalité Suprême. Celle-ci est connue sous le nom de Nirguna Bhakti, la dévotion au Brahman sans qualités, parfois symbolisé ou vu dans le gourou. Cette forme de bhakti a parfois réussi à trouver un terrain commun avec la spiritualité musulmane.

Krishna Gopala - le Vacher Krishna

Au début du seizième siècle, deux des maîtres de la bhakti parmi les plus remarquables et les plus charismatiques, Vallabha (encore une fois originaire de l'Inde du sud) et Chaitanya (un Bengali considéré par ses adeptes comme une incarnation de Krishna lui-même) arrivèrent dans la région de l'Inde du nord, près de la ville de Mathura où, croit-on, Krishna passa son enfance et sa jeunesse. Ils y fondèrent de nouvelles sectes qui propulsèrent le mouvement bhakti vers de nouveaux sommets d'enthousiasme. Le mouvement « Hare Krishna », bien connu en Occident, est une branche authentique de la tradition établie par Chaitanya.

Cette nouvelle vague de dévotion envers Krishna était centrée sur une vision de lui différente de celle qu'offrait la Bhagavad Gita. Nous avons vu que dans la Gita, Krishna est un personnage noble et princier, représentant, comme Rama, la divinité intérieure de l'homme au centre du grand drame de la vie. Mais la Bhagavad Gita représente une phase relativement ancienne du mouvement de la bhakti, et quelques siècles plus tard (autour du troisième ou quatrième siècle de notre ère) une tradition en apparence tout à fait différente de Krishna émerge – celle de Krishna Gopala, « le vacher Krishna ». Le drame somptueux de la littérature épique est abandonné, et à sa place, nous trouvons un monde simple et rustique. L'histoire se déroule maintenant sur la terre de Braj, près de la ville de Mathura. Nous voici dans la forêt enchantée de Vrindavan, à travers laquelle serpente la grande rivière Yamuna dans sa progression vers le Gange.

Krishna est maintenant un enfant espiègle mais plein de charme, qui grandit parmi les honnêtes éleveurs de bétail des villages de Braj. Avec les autres garçons, il mène paître les vaches dans la forêt ; vole du beurre dont il est friand chaque fois qu'il en a l'occasion ; et de temps en temps, juste pour nous rappeler qu'il est un *avatara,* vient à bout d'un démon gênant. Ou encore Krishna est devenu, quelques années plus tard, le jeune et charmant joueur de flûte : *Murali-manohar*, « le beau garçon à la flûte », souvent dépeint debout sous un arbre sacré *kadamba*, la flûte aux lèvres, les jambes croisées dans une gracieuse position, une guirlande de fleurs autour du cou. Parfois, une vache blanche comme le lait se tient à ses côtés et lui lèche affectueusement le pied.

Toutes les *gopis,* les belles laitières, épouses et filles des éleveurs de Braj, sont amoureuses de ce beau et charmant Krishna. Au son de sa flûte, qu'il fasse jour ou nuit, elles abandonnent leur tâche, quittent leur mari et leur famille et courent vers la forêt. C'est ce Krishna, pour qui l'amour était ce qui comptait le plus et qui, en le poursuivant, pouvait si aisément balayer toutes les conventions, qui inspira en grande partie la dévotion des poètes alvars – Andal, par exemple, s'imagine souvent comme étant l'une des gopis. Autour du neuvième siècle, l'atmosphère de dévotion qu'elles avaient créée dans le sud trouva son expression décisive dans la Bhagavata Purana, l'une des dernières grandes puranas, et pour les adeptes de Krishna, la plus importante. Le célèbre dixième volume de cette œuvre raconte l'enfance de Krishna dans la terre de Braj et son amour pour les gopis. Rempli de ferveur dévotionnelle et de détails pleins de charme, ce conte est devenu l'expression classique de la dévotion envers Krishna.

À partir de là, l'imagerie de l'histoire d'amour de Krishna avec les gopis devint irrépressible. Elle balaya toute l'Inde, alors que poète après poète donnait libre cours à sa dévotion pour Krishna. Pendant mille ans, les arts de l'Inde hindoue – la poésie et la musique, le théâtre, la peinture et la danse – ont trouvé leur plus grande inspiration dans cette vision d'amour sur la terre bénie de Braj. Les notes émanant de la flûte de Krishna et flottant à travers les bois sont l'appel du divin. Le beurre qu'il aime tant est la dévotion, les vaches qu'il garde sont la générosité de la nature. La merveilleuse forêt de Vrindavan est le monde lui-même, rendu suprêmement beau par la Réalité divine qui existe en son sein.

Ainsi l'objectif de la bhakti est-il accompli, et la vie émotionnelle de l'homme dans toute sa richesse et son énergie est-elle sublimée et élevée au plan de la vie spirituelle. Et comme dans tout amour vrai, l'individu s'oublie totalement : seul demeure l'objet de l'amour, le divin Krishna, le Seigneur, le Soi intérieur de l'homme.

8. la tradition tantrique

La dernière des quatre tendances qui s'associent pour constituer la substance de l'hindouisme, est la tradition tantrique. De même que dans le cas du mouvement bhakti, le tantrisme n'est pas une seule école bien définie, mais une large tendance qui prend différentes formes, et dont les idées se mêlent à celles d'autres traditions. Il y a les formes vaishnava du tantrisme ; les formes shavaites qui sont plus importantes ; et comme nous le verrons, les formes shakta où le culte est centré sur la Déesse.

Alors qu'il est certainement indien dans ses origines, le tantra ne se limite ni à l'Inde ni à l'hindouisme. Il est aussi important dans la religion jain qu'il le fut dans le bouddhisme tardif, et dans ses formes bouddhistes, on le trouve en Asie Centrale, au Tibet, en Chine, au Japon et ailleurs. Qu'il soit au départ bouddhiste ou hindou n'est pas certain, mais ses origines se trouvent dans la religion populaire et hors de la tradition védique. Ceux qui enseignent ses pratiques ne sont pas les brahmines, ou ne le sont qu'incidemment. Comme la bhakti, il est ouvert aux femmes et à tous, sans restriction de caste.

La tradition tire son nom d'un ensemble important de textes appelés *tantras*. Les tout premiers remontent, pense-t-on, à l'Empire Gupta en Inde orientale, autour des quatrième et cinquième siècles de notre ère, de sorte que le tantrisme en tant que tradition distincte, émerge considérablement plus tard que le mouvement bhakti. Cependant, certains de ses éléments remontent à une période beaucoup plus ancienne. L'une des sources de sa force réside dans la religion populaire des villages de l'Inde, où le culte des déesses locales est à la fois ancien et largement répandu. Une autre source importante se trouve dans la tradition du yoga dont certains aspects furent repris et développés par des groupes tantriques. Une grande partie de sa philosophie a été empruntée au Sankhya et à l'Advaita Védanta.

L'objectif du tantra ne diffère pas de celui des autres grandes voies de l'hindouisme; c'est la délivrance, *moksha* – comprise comme dans les traditions du yoga et de l'advaita, comme libération de la dualité et transcendance de la nature individuelle. Ce qui distingue la tradition tantrique, c'est d'abord l'accent qu'elle met sur le principe « féminin » de l'univers, et secondement, l'importance qu'elle attribue à la pratique, *sadhana*, et au corps physique en tant que véhicule de libération. Commençons avec le premier de ces principes.

La Shakti, l'Énergie de l'Absolu

Nous avons vu dans le chapitre précédent que le culte de Vishnu est étroitement lié au mouvement bhakti. La tradition tantrique est davantage associée à Shiva, souvent considéré comme l'Absolu non qualifié ou le Nirguna Brahman des Upanishads. En tant que tel, il est à jamais exempt de qualités, réfractaire à tout changement ou modification. Si Shiva agissait, il serait sujet au changement et donc à la limitation. Il ne pourrait donc plus être la réalité ultime. Il doit donc y avoir un autre pouvoir ou principe ayant amené l'univers à l'existence. Dans la pensée tantrique, ce principe est la *shakti*.

Le mot *shakti* signifie « énergie » ou « pouvoir », et la shakti est l'énergie de Shiva. Par elle, ce qui est Un devient multiple, et l'Absolu inconditionné, inconnaissable pour l'être humain, prend forme. Bien qu'en essence le rôle de la shakti soit négatif – elle limite l'Absolu et produit ainsi les formes du cosmos – du point de vue du monde, elle est suprêmement positive et créatrice. Pour l'humanité, la shakti est le pouvoir créateur de Brahman qui amène l'univers à l'existence, et pour cette raison, elle est considérée comme féminine et déesse.

> Avant le commencement des choses, Tu existais sous la forme d'une obscurité qui est au-delà aussi bien de la parole que de l'esprit, et de Toi, par le désir créateur du Brahman Suprême, est né l'univers tout entier.[1]

Shiva, la Réalité Suprême, la conscience infinie, reste à jamais immuable, mais par son énergie ou shakti, c'est-à-dire la déesse Shakti, l'univers constamment changeant prend naissance. Un vers extrait de l'un des textes tantriques le dit succinctement : « Shiva, quand il est uni à la Shakti, est capable de créer ; sinon il ne peut pas même se mouvoir. »[2]

Bien qu'en pensée, nous puissions les séparer, Shiva et la Shakti, la conscience et l'énergie, sont les aspects jumeaux d'un seul principe. Ils ne se distinguent pas l'un de l'autre, mais sont les pôles complémentaires d'une seule Réalité. Shiva, ou Brahman, est le fondement immuable de tout ce qui est ; la Shakti est le principe mouvant ou actif. « Si Brahman est le serpent lové et endormi, la Shakti est le même serpent en motion. Si l'on compare Brahman à la parole, la Shakti est sa signification. Si Brahman est comme le feu, la Shakti est son pouvoir de consumer. Les deux sont inséparables : un en deux et deux en un. »[3]

La Grande Déesse

La Shakti, la source divine d'où tout surgit, est considérée comme « l'épouse » de Shiva. Elle est souvent simplement Dévi, « la Déesse », ou « Mahadévi, « la Grande Déesse ». Elle est aussi Jagad Mata, « la Mère du Monde »: Ambika, « la Mère » ; Uma, qui nourrit le monde » ; Parvati, l'épouse dévouée de Shiva, qui, assise en haut dans l'Himalaya au côté de son Seigneur, représente la stabilité et la continuité de la vie ; la souriante et propice Lalita, particulièrement vénérée dans l'Inde du sud ; Durga toujours en guerre ; et Kali, la destructrice.

C'est en tant que Durga que la Déesse est le plus largement vénérée, et c'est elle qui exprime le plus complètement l'énergie et la complexité de la shakti. Son grand festival, Durga Puja ou Dussera, qui dure dix jours, est un événement d'une grande importance. Un culte distinct – celui des shaktas, ou adorateurs de la Shakti – se concentre sur elle, et est particulièrement puissant au Bengale. Pour eux, la Déesse est la déité suprême, Brahman lui-même sous la forme féminine. Son culte vient en troisième place dans l'hindouisme, seulement surpassé par les cultes de Vishnu et de Shiva.

Le nom de Durga indique celle qui est « difficile à approcher », et Durga est représentée avec une expression sévère, appropriée à la force constante qui régit l'univers. Suprêmement belle en même temps que féroce, Durga chevauche un lion. Elle peut être dépeinte avec quatre, huit, dix ou vingt bras, et avec eux, brandit une quantité impressionnante d'instruments et d'armes – conche, disque, trident, arc, flèche, épée, dague, serpent, masse et autres objets. Chacun a une signification précise, et ensemble, ils expriment l'activité incessante de la shakti et sa complexité.

Durga est avant tout celle qui décime les démons, eux-mêmes souvent montrés comme ses victimes ; ils sont dits avoir usurpé le rôle des dieux, et elle restaure l'ordre naturel. Elle est la déesse de la guerre, et dans l'Inde médiévale, les campagnes militaires débutaient le dernier jour de son festival. Au Bengale ainsi que dans certaines autres régions, des sacrifices sanglants sont offerts à Durga et à Kali, bien qu'étant les seuls sacrifices de ce genre à avoir survécu dans l'hindouisme, la majorité des hindous les considèrent avec répugnance. Cependant, Durga est en même temps la Mère emplie de compassion qui nourrit l'univers et accorde aussi bien la richesse matérielle que la richesse spirituelle. Pleine de tendresse pour ceux qui se tournent vers elle, elle est grandement aimée par ses fidèles.

On dit de Kali qu'elle a surgi du front de Durga. Si Durga est l'aspect féroce de Mahadévi, Kali en est l'aspect terrible : « On la représente avec la peau noire, le visage empreint d'une expression terrible et effroyable, ruisselante de sang, encerclée de serpents, des têtes de mort et des têtes coupées accrochées à elle, et à tous égards, ressemblant davantage à une furie qu'à une déesse. »[4] Il existe des explications rationnelles de cette image : sa couleur noire se réfère à sa nature ultime qui se trouve derrière la manifestation et est donc inconnaissable ; le terrain de crémation où on la voit souvent danser est le lieu où sont consumés tous les désirs de ce monde ; le collier de têtes coupées est l'univers des noms et des formes qu'en tant que pouvoir de Shiva, elle crée et détruit ; comme le suggère le nom de Kali, elle est l'aspect destructif du temps. Mais l'image de Kali, avec sa vibrante vitalité, jaillit d'un niveau plus primitif que l'interprétation consciente. C'est la reconnaissance d'une vérité saisie intuitivement : Kali est la vie perçue avec tous ses dangers, sanglante, souffrante, faite de compétition acharnée et de destruction inévitable.

L'Ambivalence de la Shakti

Ce que nous disent les différentes formes de la déesse, certaines souriantes et amicales, certaines féroces et terribles, c'est que la shakti, l'énergie qui forme et anime l'existence, est essentiellement ambivalente. D'une part, la déesse Shakti est la source et l'aliment de la vie, la Mère du Monde. C'est l'aspect représenté par les formes qui nous sont propices.

Mais cela n'est pas la totalité de la Shakti, ce n'est pas la totalité de la vie. La vie apporte aussi conflits et souffrance, tandis que sa fin se trouve dans l'apparente extinction de la mort. La nature n'est pas seulement belle et généreuse, elle est aussi impitoyable et indifférente vis-à-vis de l'individu. L'hindouisme ne fuit pas cet aspect. Les images de Durga et de Kali en sont la franche admission.

On peut considérer la Shakti, de même que ses conséquences – la vie dans le monde – d'un point de vue positif ou négatif. Considérée négativement, elle est la source de toute imperfection, de l'ignorance et de la souffrance, l'obstacle qui se dresse entre nous et notre nature transcendante. Considérée positivement, elle est la source de toutes les joies et bienfaits de l'existence, et le contexte dans lequel peut se réaliser le progrès spirituel. Ce double aspect est le reflet de notre propre ambivalence vis-à-vis du monde : nous voulons la vie et cependant, nous brûlons du désir de la transcender.

Le Culte de la Shakti

La notion de shakti ou énergie divine, est fondamentale si l'on veut comprendre le monde du point de vue tantrique, et elle est devenue une part importante de la vision hindoue. Là où le culte shakta, dans certaines de ses manifestations, diverge de la norme hindoue, c'est lorsqu'il oublie que la déesse Shakti n'est pas la Réalité elle-même, mais seulement le principe qui modifie la Réalité et produit ainsi l'existence. Vénérer la Shakti en elle-même revient, en dernier ressort, simplement à vénérer le monde et à oublier la dimension de transcendance. Cela ne peut que nous lier plus fermement que jamais à la roue de la vie et de la mort. La plus grande partie du mouvement tantrique, en particulier sous ses formes shaivites, évite cette erreur. Pour lui, la Shakti est ou bien le principe complémentaire de celui de Shiva, ou bien la Réalité Suprême elle-même, mais autant dans son aspect transcendant que dans son aspect immanent : « En vérité Tu n'es ni femelle ni mâle, ni neutre : Tu es inconcevable, Tu es pouvoir sans mesure, l'Être de tout ce qui existe, dénué de toute dualité, le Brahman Suprême, accessible seulement dans l'illumination. »[5]

La Pratique Tantrique

Si l'idée de shakti est la marque distinctive du tantrisme, ce n'en est pas moins la *sadhana*, « pratique », qui en constitue le cœur.[6] Dans la tradition tantrique telle qu'elle s'est développée, et en particulier dans les formes du culte shakta, il existe trois classes d'aspirants, chacune nécessitant un mode différent de pratique.

Le groupe le plus élevé consiste en ceux qu'on appelle *divya*, « semblable au dieu ». Ce sont ceux chez lesquels domine le guna ou qualité de *sattva,* tranquillité et pureté. Ceux-ci, ayant passé par les phases précédentes de la *sadhana* tantrique, sont très avancés. Eux seuls sont en mesure d'entrer dans la phase la plus élevée, celle du kundalini yoga. Les personnes appartenant au groupe le plus bas sont celles qui sont *pashu*, « animales ». Chez elles *tamas-guna*, l'ignorance et l'inertie, prédominent. Pour elles, les deux *sadhanas* supérieures sont dangereuses et ne leur conviennent pas. Elles doivent purifier leur nature par l'autodiscipline et pratiquer le culte de manière normale.

Le groupe intermédiaire consiste en ceux qu'on appelle *vira,* « héroïque », et chez eux, *rajas-guna*, le désir impulsif d'agir et de s'affirmer, prédomine. Avant de pouvoir avancer jusqu'à la phase du kundalini yoga, il leur faut vaincre leurs passions et le désir de gratification des sens. La *sadhana* prescrite pour ce groupe a poussé certains hindous à considérer le tantrisme de manière défavorable. La pratique est appelée *chakra-puja* ou « culte du cercle », et est fondée sur le principe, « Par ce qui doit s'élever, ce qui fait tomber ».[7] Les aspirants –assis en cercle sous la supervision de leur gourou – confrontent, dans des conditions contrôlées, les éléments les plus propres à exciter les passions et (si tout se passe bien) à apprendre à les vaincre. Une telle méthode est clairement ouverte aux abus, mais exécutée comme il le faut, c'est un exercice d'autocontrôle, une tentative en vue de sublimer jusqu'à l'aspect le moins spirituel de la vie.

L'Internalisation

Selon la tradition tantrique, toutes les réalités du cosmos, toutes ses forces, toutes ses déités jusqu'au Brahman Suprême, sont présentes dans l'homme. L'homme est un microcosme de l'univers tout entier, tout comme, au début de la période védique, était perçu le sacrifice. Mais ces pouvoirs intérieurs demeurent non-réalisés en nous. Nous n'en sommes pas conscients, et l'expérience que nous avons de nous-mêmes est celle d'individus limités et vulnérables.

La *sadhana* tantrique vise à éveiller progressivement l'être intérieur de l'homme. Cela doit se faire par la pratique. Ce n'est qu'en faisant l'expérience des réalités cosmiques en nous-mêmes que nous pouvons nous libérer de nos liens actuels et réaliser notre identité avec Brahman. Les moyens pour y parvenir consistent essentiellement dans l'internalisation d'images et le recours aux *mantras*.

Nous avons déjà vu le caractère symbolique des images des dieux dans l'hindouisme. Dans la pratique tantrique, cet aspect est utilisé à fond. L'image de la déité doit être visualisée avec précision et son contenu symbolique exploré systématiquement. Chaque détail de l'iconographie doit être observé et compris clairement car ce sont ces détails qui expriment les pouvoirs et les qualités du dieu. Finalement, l'image toute entière s'embrase en nous, chaque détail emprunt d une signification profonde, et les échos de la déité au fond de notre être se mettent à vibrer. De cette manière, l'image est internalisée. L'identification avec le dieu devient possible.

Les Mantras

Tout comme l'image d'une déité correctement évoquée est la réalité elle-même perçue sous une forme visuelle, de même un *mantra* est cette même réalité sous sa forme auditive. Nous avons vu que le son est perçu comme le germe et l'origine de la création, et un *mantra* est le germe ou l'essence de la réalité spirituelle qu'il évoque. Convenablement utilisé, le *mantra* est suprêmement créateur. *Om* est la forme germinale de Brahman lui-même d'où toutes choses jaillissent : mais chaque dieu ou déesse possède un *bija-mant*ra ou « mantra germe » grâce auquel il ou elle peut être évoqué. Par l'usage des *mantras*, les dieux ou pouvoirs divins peuvent être placés dans différentes parties du corps. Cette pratique est appelée « placer » et est effectuée par l'attouchement de la partie du corps concerné pendant la méditation sur le dieu et la récitation du *mantra* approprié.[8]

Le Kundalini Yoga

La culmination de ces idées, et la *sadhana* la plus connue de la tradition tantrique, est la pratique du kundalini yoga. Dans celui-ci, les *bija-mantras* les plus importants sont « placés » sur six centres du corps appelés *chakras* ou « cercles ». Ces chakras (qui, bien sûr, existent sur le plan subtil mais pas sur le plan matériel,) sont visualisés comme une série de lotus, posés les uns sur les autres à partir de la base de la colonne vertébrale jusqu'au centre du front. Chaque chakra est le siège de certains symboles et dieux, ainsi que d'un *bija-mantra* précis. Ainsi, les chakras représentent les forces cosmiques qui se trouvent dans l'homme à l'état dormant.

Au sommet de tout le système se trouve « le lotus aux mille pétales », situé sur la couronne de la tête. C'est la réalité ultime, Shiva ou Brahman lui-même. Les chakras sont reliés entre eux ainsi qu'au lotus aux mille pétales par un canal subtil appelé le *sushumna*, qui traverse l'un après l'autre chacun des chakras. Deux autres canaux, *ida* et *pingala*, passent le long du *sushumna*, à sa gauche et à sa droite, mais ne relient pas les chakras. Les énergies de l'homme les traversent et, à partir d'eux, circulent dans le reste du corps. Mais dans l'homme moyen, le canal central, le *sushumna*, est bloqué. Les énergies n'y passent pas, et par suite, n'atteignent pas les chakras et ne les éveillent pas, pas plus qu'elles n'éveillent leurs pouvoirs.

À la base de la colonne vertébrale, lové autour du *sushumna* sous la forme d'un serpent endormi, se trouve la kundalini. Ce « Pouvoir du Serpent » n'est rien d'autre que la Shakti sous sa forme microcosmique, et c'est elle dont on dit qu'elle « bloque » le *sushumna*. Cependant, si, grâce à une concentration intense et au contrôle du souffle par le yoga, le serpent endormi qu'est la shakti, peut être éveillé, il cessera de bloquer l'entrée au *sushumna* et commencera à s'élever dans ce canal central. Alors, les vraies énergies dans l'homme, dont seulement la plus petite partie a jusqu'alors été utilisée, entrent enfin en jeu. Tandis que la kundalini (ou shakti) se met en mouvement, elle s'échauffe de par l'éveil de ses propres énergies. Elle monte le long du *sushumna*, éveillant l'un après l'autre chacun des six chakras.

Alors que la kundalini s'élève, elle entraîne avec elle les forces et les déités contenues dans chacun des chakras, de sorte que toute la réalité intérieure éveillée de l'homme monte avec elle. Finalement, et c'est le but final, elle atteint le lotus aux mille pétales à la couronne de la tête, et là, la kundalini et tout ce qu'elle a transporté avec elle s'unit à la réalité ultime ou Brahman. Shakti et Shiva s'unissent.

De cette manière, le tantrisme, en identifiant le corps humain au cosmos spirituel, cherche à l'utiliser symboliquement en tant que l'instrument permettant d'atteindre la libération de la dualité. Plutôt que de s'engager dans une méditation abstraite, le praticien visualise le processus de libération comme ayant lieu dans son propre corps, et cela fournit un support puissant à ce qui, autrement, pourrait paraître un processus difficile et abstrait.

La shakti ou kundalini, le désir instinctif qu'a tout organisme d'avoir une existence séparée, repose « endormie » dans l'homme ordinaire à l'exact opposé de Shiva. Elle bloque la voie à la réalité spirituelle. Elle est « éveillée » – rendue consciente – et progressivement spiritualisée. Alors qu'elle s'unit à la réalité spirituelle, le monde qu'elle crée et l'individualité humaine qui l'accompagnent sont transcendés. « La shakti réintroduit les entités créées dans l'état sans forme, rassemble, si l'on peut dire, les germes de la création, et les ramène à leur place originelle de repos. L'union finale de Shakti et de Shiva est, pour la personne qui en fait l'expérience, la véritable résolution de la dualité qui constitue le monde phénoménal. »[9]

9. le rôle du gourou

La sagesse, a dit un saint hindou contemporain, consiste à découvrir le but véritable de la vie et les moyens d'y parvenir.[1] Le but de la vie, du point de vue de la plupart des écoles hindoues, est maintenant clair : c'est de mettre fin à notre habituelle identification avec le *jiva*, le soi individuel provisoire, et au lieu de cela, de nous identifier avec la conscience immuable qui se trouve derrière le *jiva,* et qui seule est la Réalité.

Les quatre grandes traditions que nous avons esquissées sont différentes voies menant à cet objectif.

Bien que nous les ayons traitées séparément, elles se mélangent et s'influencent mutuellement, et leur effet réciproque donne à l'hindouisme son immense diversité et ses nombreuses et subtiles nuances. Cela présente des difficultés en même temps que des avantages, pour quiconque approche la tradition hindoue pour la première fois. Néanmoins, on peut s'épargner beaucoup de temps et d'effort si l'on a au moins quelque idée de la position théorique. Trop souvent, les gens s'embarquent sur une pratique hindoue – un cours de yoga, une classe de méditation – sans avoir la moindre idée de son véritable objectif. Mais la méditation et le yoga sont le plus efficaces quand on sait clairement ce qu'on tente de faire. Alors que ces pratiques offrent peut-être des avantages fortuits, elles n'ont qu'un seul but ultime : *moshka*, la libération de la condition individuelle et de la roue de la re-naissance qui l'accompagne.

La Naissance Humaine

Selon la tradition hindoue, les pré-conditions pour atteindre *moshka* sont triples : la naissance en tant qu'être humain, le désir d'atteindre la libération, et la compagnie de personnes spirituellement avancées.

La naissance en tant qu'être humain est, bien sûr, le résultat de notre karma, et les hindous croient que ce karma représente le fruit de nombreuses naissances antérieures sous la forme d'animaux et même de formes encore plus inférieures. Vivre en tant qu'être humain est un privilège et une opportunité. Seuls les êtres humains sont capables d'avoir du recul par rapport au moment immédiat, et capables de réfléchir sur leur situation ; sans cela, la libération est impossible. Le progrès réalisé par le *jiva* depuis les divers niveaux de vie animale jusqu'à la condition humaine est le processus de l'émergence de l'individualité. Ce processus continue au cours de vies humaines successives. L'individualité s'affine à mesure que nous devenons de plus en plus conscients de nous-mêmes. Mais nous devenons alors davantage conscients de notre propre souffrance comme de celle des autres êtres. De plus, la conscience de soi est intrinsèquement douloureuse : sans le savoir, nous fuyons constamment la conscience de notre soi en tant qu'individu limité, imparfait et vulnérable. Les plaisirs sensuels, les divertissements, le travail et la famille – tels sont les moyens par lesquels nous cherchons pour un temps à échapper à la conscience harcelante de notre propre nature limitée.

Le développement de l'individualité arrive ainsi au point où son caractère douloureux inhérent devient apparent. Le long parcours dans l'existence individuelle et le monde phénoménal, est achevé. Un tournant a été franchi. Nous pressentons qu'il nous faut entrer dans une nouvelle dimension qui transcende le soi individuel. C'est le point où nous atteignons la seconde condition de la réalisation, le désir d'atteindre la libération.

Le Désir de Libération

Les hindous croient que nous sommes venus au monde parce que nous l'avons voulu. C'est ce que le terme karma signifie vraiment. Nos désirs profonds, sous la forme des *samskaras,* de faire l'expérience du monde, nous font revenir. Il suffit de regarder l'ardeur avec laquelle les enfants et les jeunes animaux se jettent dans l'expérience pour se rendre compte à quel point cela est vrai. Ce n'est pas le hasard, ni aucun décret provenant d'un Dieu ou d'un Destin extérieur, qui détermine notre naissance. Ce sont nos propres désirs. Tant que ces désirs continueront d'une vie à l'autre sous la forme des *samskaras*, nous continuerons à tourner sur la roue de la naissance et de la mort. Il n'y aura aucune libération.

Grâce au karma yoga – ou action sans attachement – tel que le décrit la Bhagavad Gita, nous pouvons influencer ce processus et réduire ou même mettre fin à la formation de *samskaras*. Encore plus efficace est le jnana yoga, la discipline de la connaissance.

Celle-ci s'en prend au processus tout entier et, plutôt que de simplement inhiber la formation d'un nouveau karma, il peut nous libérer du karma accumulé lors d'incarnations passées. Une fois compris d'une manière immédiate le fait que le soi individuel est au bout du compte irréel, les impulsions émotionnelles accumulées – les *samskaras* – attachées au soi perdent leur vitalité. Elles sont, dit-on, consumées, comme des graines de blé qui, une fois passées à la chaleur, perdent à jamais leur capacité à germer. Les méthodes des écoles de yoga et de tantrisme ont le même objectif, mais elles cherchent à y parvenir par le biais de l'expérience psycho-physique plutôt que par la discrimination mentale et la contemplation.

La troisième voie visant à réduire l'individualité et le karma qui s'y attache est celle de la dévotion. C'est le bhakti yoga, qui n'est pas une voie de la connaissance mais de l'amour. Cette voie diffère quelque peu des autres méthodes. Dans celle-ci, le soi individuel n'est pas considéré comme irréel : il est simplement écarté, et remplacé par la déité que le dévot a choisie ou, dans certaines écoles, le gourou. Cette déité ou ce gourou devient le nouveau centre autour duquel tourne le monde du fidèle. Toute l'attention prodiguée auparavant au soi individuel est orientée dans une autre direction. Le soi individuel est simplement oublié et s'efface. Pour certains, c'est une voie plus facile que celle de la connaissance, car elle n'offre pas seulement la négation de l'individualité mais offre à sa place un idéal positif extrêmement attirant.

Nous avons vu que ces deux voies, celle de la connaissance et celle de la dévotion, ont parfois été considérées comme opposées ou même rivales. Ce n'est là cependant pas une approche très utile. La véritable relation entre jnana et bhakti est parfois illustrée en Inde par une histoire. Celle d'un aveugle et d'un boiteux, tous deux désireux de se rendre en un certain lieu. L'aveugle est le pur *bhakta*. Il est fort, plein d'énergie et d'enthousiasme. Il se hâte, mais ne voit pas le chemin ; en fait, dans son enthousiasme, il risque de prendre la mauvaise direction ou de tomber dans le fossé. Le boiteux est le pur *jnani*. Il aperçoit le but dans la distance, et la route tout entière s'étire devant ses yeux. Mais il ne progresse en aucune manière car ses jambes ne le portent pas. Sa connaissance de la voie reste seulement théorique. Ainsi, aucun d'entre eux ne parvient au but. Mais si les deux coopèrent, et que l'énergie et la force de l'un s'allie à la discrimination et à la connaissance de l'autre, tous deux peuvent alors réussir à atteindre leur but commun. Dans son commentaire de la Bhagavad Gita, Shankara parle de *jnana-nishta*, « la connaissance-dévotion », comme étant la forme suprême de la bhakti.[2]

Le Gourou

La dernière pré-condition pour obtenir la libération est la compagnie de personnes spirituellement avancées. Cela est généralement compris comme signifiant l'association avec un gourou et le groupe de disciples rassemblé autour de lui. Le gourou est le lien avec une tradition spirituelle particulière. Son enseignement lui a été transmis par son propre gourou et se poursuit ainsi en une chaîne continue. Les hindous respectent la tradition car celle-ci garantit un certain degré d'objectivité. L'enseignement transmis par un gourou traditionnel et sa méthode sont essayés et mis à l'épreuve ; il ne les a pas inventés ; il en a fait lui-même l'expérience. L'un des signes de l'authenticité d'un gourou est qu'il ne revendique aucune originalité, mais s'applique à souligner la nature traditionnelle de son enseignement.

Le mot gourou signifie « celui qui dissipe l'obscurité », et le mot peut s'appliquer de différentes manières.[3] Un gourou en Inde peut n'être simplement qu'un prêtre familial : il peut avoir hérité de sa position ; il possédera un certain savoir, mais sans que cela implique une quelconque réalisation spirituelle. Ou bien un gourou peut être un maître ayant avancé jusqu'à un certain point dans la voie spirituelle qu'il a choisie, et capable de guider les autres sur cette même voie sans avoir lui-même atteint le but final. De nombreux maîtres en Inde appartiennent à cette catégorie et peuvent vraiment aider le chercheur spirituel.

Ou bien finalement, un gourou peut être celui qui est « libéré dans la vie », un *jivan-mukta*. Alors qu'il continue de vivre dans le corps, il a découvert sa propre réalité profonde – et le mot « découvert » est approprié, car l'Atman est toujours présent en nous. Intérieurement, il est libéré à jamais de la condition individuelle, en ayant perçu la nature relative. Pour lui, le monde a cessé d'exister en tant qu'objet extérieur à sa propre conscience. Il en connaît l'ultime irréalité; mais le monde ne disparaît pas, et les autres perçoivent toujours le gourou comme doté d'une personnalité et continuant d'agir dans le monde:

> Il fait tout, et pourtant il ne fait rien. Ayant intérieurement renoncé à tout, bien qu'extérieurement, il paraisse actif, il est dans un état constant d'équilibre. Aucune de ses actions ne relève de la volonté... Ses paroles empreintes de douceur sont pleines de sagesse. Il n'a rien à gagner à accomplir de nobles actions, et pourtant il est noble; il n'a aucun désir pour le plaisir et par suite n'est pas tenté. La servitude ou même la libération ne l'attirent pas. Le filet de l'ignorance et de l'erreur a été consumé par le feu de la sagesse et l'oiseau de sa conscience s'envole vers la libération.[4]

C'est là le gourou idéal, l'archétype, le vrai *jnani* ou « connaisseur », qui n'enseigne pas sur la base de la connaissance théorique mais sur celle de sa propre expérience directe de la réalité spirituelle. Un gourou de ce type agit comme une lentille, concentrant la lumière et la chaleur de la tradition spirituelle à laquelle il appartient sur ceux qui se sont assemblés autour de lui. Son seul but est de servir les autres. Son seul désir est de faire avancer la sagesse spirituelle.

Shri Dada d'Aligarh

Il n'est pas nécessaire que le gourou hindou soit un prêtre, un moine ou un ascétique, bien qu'il puisse l'être. Deux des plus éminents exemples du passé récent ont, en apparence, eu des vies opposées. Shri Dada d'Aligarh (1854–1910) qui était un père de famille, vécut dans les villes fourmillantes de l'Inde du nord où d'importantes communautés musulmanes et l'influence de la technologie occidentale faisaient partie de la vie. Il travailla toute sa vie dans une succession de gares comme petit employé des chemins de fer, chargé du bureau du télégraphe. Il gagnait peu et donnait sans cesse ce qu'il avait à ceux qui se trouvaient dans le besoin. Il anticipa Gandhi dans l'intérêt qu'il porta aux exclus de la société indienne, et dans les efforts qu'il entreprit – parfois à ses propres risques – pour empêcher les conflits entre hindous et musulmans. Lors d'une épidémie de choléra, il passa des nuits à soigner les pauvres et à désinfecter leurs logis. Mais il accordait toujours la priorité à la vie spirituelle ; selon lui, il n'y avait pas de plus grand service à offrir à quelqu'un que d'éveiller en lui la vie spirituelle.

Bien que Shri Dada ait délibérément recherché l'obscurité, dans chaque ville où il était transféré, un groupe de dévots s'assemblait rapidement autour de lui. C'était des gens appartenant à toutes les classes de la société : des hommes et des femmes simples – un menuisier, un allumeur de réverbères – et d'autres qui étaient instruits et raffinés. Ses vues étaient entièrement traditionnelles, et il attribuait souvent toute sa connaissance spirituelle à son propre gourou, ne revendiquant rien pour lui-même. Il était toujours prêt à reconnaître la sagesse et la beauté des autres religions, et, en accord avec une longue tradition de l'Inde du nord, avait parfois des entretiens spirituels avec les Soufis. Sa position intellectuelle était celle de l'Advaita Védanta, mais ses méthodes provenaient souvent du mouvement bhakti. Il combinait si étroitement les voies de la connaissance et de la dévotion que celles-ci pratiquement fusionnaient. Il résumait sa position ainsi : « l'enseignement le plus haut est *Tat Tvam Asi* (« Tu es Cela »). J'ai trouvé en l'obscurité un véritable ami, dans la simplicité, le meilleur des compagnons et dans la dévotion à mon gourou, la plus grande consolation dans la vie. »[5]

Shri Ramana Maharishi

La vie de Shri Ramana Maharishi (1870–1950) est très différente de celle de Shri Dada. Alors qu'il avait dix-sept ans, il fut saisi d'une profonde peur de la mort. C'était en fait une anticipation de la mort du soi individuel, car ce qui suivit fut l'expérience spontanée de la libération, atteinte – de la manière la plus exceptionnelle – sans l'aide d'un gourou. Il se rendit à Arunachala, une colline sacrée de l'Inde du sud, pour y vivre dans une grotte dans la solitude. Il passa le restant de sa vie à Arunachala. Alors que son état spirituel élevé devenait connu, des disciples aussi bien de l'Inde que de l'Occident vinrent chercher conseil auprès de lui. Malgré ses contacts avec les autres dans son rôle de gourou, Shri Ramana resta intérieurement un sage solitaire, menant une vie d'une grande simplicité et d'une grande pureté ascétique. Ceux qui étaient venus chercher son aide recevaient parfois des enseignements précis, mais ils n'avaient souvent pour guide que sa présence silencieuse.

> Être assis en présence du Maharishi et regarder ses yeux emplis de béatitude était une expérience exquise et unique. On pouvait aller à lui bourré de doutes et de questions. Mais très souvent, alors que l'on était assis devant le sage, il arrivait que ces poussées mentales s'éteignent et soient réduites en cendres.[6]

La libération de Shri Ramana lui vint sans qu'il eût une connaissance théorique antérieure, pourtant ses intuitions correspondaient à l'enseignement de l'Advaita Védanta. Il était une « incarnation de pur Advaita… le principe impersonnel éternel, sous un dehors personnel. »[7] Ses instructions étaient centrées autour de la question « Qui est le vrai « je »?»; pour lui, il n'y avait aucune pluralité, et il agissait sans éprouver le moindre sens d'attachement.

Shri Ramana insistait sur le fait que, dans la vie spirituelle, il est nécessaire d'avoir un gourou, mais il n'aurait jamais clairement admis être le gourou de quiconque. Ceci, ajouté au fait que sa propre libération s'était produite apparemment sans l'aide d'un gourou, causait chez quelques-uns une certaine confusion.[8] L'explication se trouve dans l'état spirituel de Shri Ramana lui-même: pour lui, le gourou ne pouvait être un individu séparé existant en marge et hors du disciple, car toutes ces distinctions étaient illusoires. En ses propres termes: « Le gourou est le Soi dénué de formes en chacun de nous. Il peut apparaître corporellement pour nous guider, mais ce n'est là qu'un travesti. »[9] En fait, la fonction du gourou extérieur est d'éveiller dans le cœur le gourou intérieur: « Il y a deux choses à faire, d'abord trouver le gourou qui vous est extérieur, et ensuite, trouver le gourou intérieur. »[10]

La Situation de l'Être Humain

Il n'y a pas de meilleure description du rôle du gourou et de la situation où se trouve l'être humain, telles que les hindous les comprennent, que celle de Shankara. Suivant la Chandogya Upanishad, celui-ci compare la connaissance du Soi à la terre distante de Gandhara, la patrie que nous avons perdue, et vers laquelle nous retraçons nos pas avec l'aide et sous la direction du gourou plein de compassion :

> Considère, mon ami, comment, dans le monde, un voleur aurait bandé les yeux de quelqu'un et l'aurait enlevé de la terre de Gandhara pour le transporter, les yeux toujours bandés, dans un lieu distant dans la jungle, loin de toute vie humaine, et comment cette personne ayant perdu tout sens d'orientation, pourrait crier de toutes ses forces… « Je suis de Gandhara : mes yeux ont été bandés et j'ai été abandonné ici par un voleur ». Supposez alors qu'une personne compatissante lui enlève son bandeau et dise, « Gandhara est au nord d'ici. Tu dois d'abord aller à tel et tel endroit ». Libéré à présent de son bandeau par la personne compatissante, il se rendrait de village en village, demandant chaque fois son chemin jusqu'au prochain village… Cet homme atteindra finalement Gandhara – mais

pas un autre incapable de comprendre les instructions et désireux de découvrir quelque autre endroit…

Tel est aussi le cas de celui qui est arraché à sa vraie condition en tant que Soi de l'univers par le mérite et le démérite issus d'anciennes actions [*karma*] et est déposé dans la jungle du corps humain… Il est empêtré dans le filet d'une centaine de milliers maux sous la forme de pensées telles que « Je suis un homme », « C'est mon fils », « Ce sont mes parents », « Je suis heureux », « Je suis misérable »… Alors qu'il crie ainsi, de par le très grand mérite issu des actions passées, il réussit à trouver refuge auprès d'un être suprêmement compatissant, établi dans l'Absolu et libre de tout lien, qui sait de manière directe que son Soi réel est pur Être ou l'Absolu. De cet être suprêmement compatissant et possesseur de l'illumination parfaite, il reçoit l'instruction en constatant les imperfections attachées aux objets rencontrés dans la vie de la transmigration.

Enfin, une fois devenu indifférent aux objets du monde, il reçoit l'enseignement, « Tu n'es pas un habitant du monde, avec les caractéristiques du monde comme "être le fils de tel et tel". Tu es pur Être. » Ainsi, il est libéré des liens de l'ignorance et de la délusion et atteint son vrai Soi, comme l'habitant de Gandhara atteint Gandhara et trouve le bonheur.[11]

10. conclusion

Au cours de cette brève étude, nous nous sommes fait une idée de l'ampleur et de la complexité de la tradition hindoue, ainsi que de la manière dont ses formes ont changé. On a dit que l'hindouisme ressemblait à une fédération de croyances diverses plutôt qu'à une seule religion, et à de nombreux égards, cela est vrai. Même au sein d'une même école comme le Védanta, il existe des points de vue différents sur des questions centrales tels que la nature de Brahman, le statut du soi individuel, et la réalité du monde empirique. Cependant, beaucoup d'autres points sont aussi communs à tout l'hindouisme, et lui donnent son caractère unique : la croyance en la re-naissance et dans le *karma*, la nature cyclique du temps, l'immanence tout comme la transcendance de la Réalité Suprême, la nature pas totalement réelle et finalement insatisfaisante de l'existence empirique, et la valeur suprême de *moksha*, la libération, telles sont quelques-unes des idées le plus largement répandues

En outre, nous pouvons détecter, sous la souplesse et la diversité des formes qui caractérisent l'hindouisme, un schéma constant. Celui d'une Réalité unique et immuable – que l'on peut concevoir soit sous la forme d'un dieu personnel, soit comme l'Absolu non-qualifié et au-delà de toute description – et à ses côtés, un principe de changement et de limitations qui rend possible toute la manifestation. Ce schéma apparaît sous diverses formes : comme *purusha* et *prakriti* dans les écoles de Sankhya et de Yoga ; 1 comme Brahman et Avidya (avec son aboutissement, la *maya*) dans l'Advaita Védanta ; comme Vishnu et son « jouet » ou *lila* dans la plus grande partie du mouvement bhakti, et comme Shiva et Shakti dans la tradition tantrique. Ce motif de la paire – la réalité ultime et le principe de la manifestation – est le fondement sur lequel repose l'hindouisme ; la base métaphysique qui, sous ses formes diverses, demeure immuable.

Alors que la position du premier de ces deux principes est évidente – c'est la Réalité elle-même – la position du second (et donc du monde phénoménal qui en est l'expression) est profondément mystérieuse. En fait, c'est le mystère ultime. Le second principe ne peut pas être une réalité indépendante, car la Réalité ne peut être qu'une. Certains considèrent ce principe comme l'expression ou le « pouvoir » de la Réalité qu'est Brahman, l'effet réel d'une cause réelle – pourtant, comment est-il possible qu'un Absolu immuable ait un effet ? D'autres le voient comme ayant pour nous une réalité provisoire mais néanmoins irréelle en termes absolus. Ce qui est clair, c'est que, quel que soit le degré de réalité que possède le second principe, cette réalité provient entièrement de sa relation avec Brahman. Il ne s'agit pas là d'un pouvoir distinct de changement et de manifestation, surajouté et opposé à un Principe Premier et transcendant ; le considérer comme tel reviendrait à se méprendre sur toute l'orientation de l'hindouisme.

Au cœur de l'ensemble de l'hindouisme se trouve l'idée de délivrance ou *moksha*. *Moksha* correspond essentiellement à un changement d'identité, à un désengagement du second des deux principes que nous avons examinés, et à une identification consciente avec le premier principe. C'est le grand but dont la réalité et la possibilité sont garantis par les *rishis* des Upanishads et les saints de chaque génération. *Moksha* n'est pas quelque chose que l'on gagne ou que l'on obtient ; c'est la découverte de quelque chose qui est présent en nous à tout instant – une différente sorte d'état de conscience qui est notre destination ultime, tout simplement parce que c'est notre nature la plus profonde.

Pour la plupart des écoles de l'hindouisme (bien que ce ne soit pas le cas pour les principales écoles de la bhakti) *moksha* est la libération de la condition individuelle elle-même : la conscience est libérée des formes limitées qui l'enferment quand la personne fait l'expérience de la nature relative de ces formes. Ainsi, *moksha* n'est pas une perte mais une expansion de la conscience au-delà des limites de l'individualité. Elle est essentiellement positive – contrairement au *nirvana* bouddhiste qui est souvent représenté, peut-être à tort, comme étant simplement la fin de l'affliction.

Aussi grande que soit la valeur attachée au *moshka*, les demandes de la vie ordinaire ne sont pas niées. L'hindouisme est une religion catholique au plein sens du terme, dans laquelle il y a place pour tous, hommes et femmes, quel que soit leur niveau de développement. De même qu'il existe quatre classes dans la société hindoue, de même celle-ci reconnait quatre objectifs qui leur correspondent dans la vie. L'objectif le plus haut est, bien sûr, le *moshka*. Les trois autres sont le *dharma*, qui consiste à remplir les obligations et les devoirs appropriés à son statut social, comme le conseille Krishna à Arjuna dans la Bhagavad Gita ; l'*artha,* la poursuite par des moyens justes et honnêtes du bien-être matériel ; et le *kama*, la poursuite de l'amour et des plaisirs de la chair sous leurs formes naturelles et normales.

Cette largeur de vue et cette acceptation de la vie sont encore renforcées par le fait que la Réalité Suprême est considérée comme étant immanente dans le monde, en plus de lui être transcendante. D'où le grand respect que les hindous ont pour la terre et ses dons – perçus, par exemple, dans l'amour et la gratitude qu'ils éprouvent à l'égard de la vache domestique, considérée comme le symbole vivant de la générosité de la nature. L'hindouisme est, à plusieurs égards, une religion joyeuse comme le savent ceux qui ont été témoins de ses festivals. Alors que pour certains qui s'efforcent d'atteindre *moshka*, l'ascétisme est certainement important, le monde naturel n'est généralement pas considéré comme opposé à la vie spirituelle. Au contraire, il est considéré comme une expression du divin, et par suite, l'hindouisme ne reconnaît aucun principe du mal en tant que tel. Les nombreux démons qui habitent le monde mythique hindou ont tous leur place dans l'ordre naturel, et dans les contes, ils finissent toujours par être de nature spirituelle, capables d'atteindre la libération. Le principe qui affirme la vie, le pouvoir ou *shakti* qui amène le monde à l'existence, n'est pas vu comme opposé au principe de la transcendance, mais comme un aspect de ce principe. Shakti est la consort de Shiva, son autre visage. Le serpent qui, dans le christianisme, provoque la chute de l'homme et devient son ennemi durable, est dans l'hindouisme enroulé autour du cou de Shiva, ou sert de lit au repos de Vishnu.

Mais si l'hindouisme ne nie pas le monde et par suite, glisse dans le dualisme, il ne tombe pas pour autant dans l'erreur opposée de devenir une simple religion de la terre – une foi où la vie et la nature sont célébrées et leurs bénéfices recherchés, tandis que la dimension transcendante est quasiment oubliée. Le monde naturel ne s'oppose pas à la Réalité Suprême, mais il n'est pas non plus sa totalité, et *moksha* existe sur un plan entièrement différent de celui des trois autres objectifs de la vie. Il consiste, comme nous l'avons vu, en un ordre de conscience totalement différent ; et pour arriver à cette découverte, pour devenir ce que nous sommes réellement, l'hindouisme avance que nous devons nous libérer de tout engagement émotionnel avec le monde et ses formes. Cela entraîne non pas la négation du monde ou du corps, cela ne veut pas dire s'y opposer et y voir un ennemi, mais l'observer dans le contexte d'une réalité plus vaste, et donc comme la chose relative et temporaire qu'elle est.

Mais tout le monde n'arrive pas dans cette vie à la découverte du Soi qu'est *moksha*. Il est possible d'atteindre le but, mais l'emprise que la vie dans le monde a sur nous est puissante, et l'habitude de s'identifier avec le soi individuel profondément enracinée ; peu nombreux sont ceux qui atteindront la libération, car en réalité peu d'entre nous la désirent avec suffisamment d'intensité et de persistance. Qu'arrivera-t-il alors à ces hommes et ces femmes qui, ayant accompli une partie du chemin, n'accomplissent pas la totalité du voyage avant la mort ? Que leur offre l'hindouisme ? Leurs efforts sont-ils perdus et gâchés ?

C'est une question qui viendra à l'esprit de chacun, et c'est celle qu'Arjuna pose à Krishna à la fin du sixième chapitre de la Bhagavad Gita. La réponse de Krishna est que, pour cette personne, rien n'est perdu. Bien qu'elle doive inévitablement être réincarnée, son karma est tel qu'elle renaîtra dans des circonstances spirituellement favorables, peut-être dans une famille dont les membres chercheront eux-mêmes activement la libération. Elle possèdera le même niveau de compréhension spirituelle qu'elle aura atteint dans sa vie précédente, et sera capable de reprendre sa route à partir de là. La force vive de ses précédents efforts l'aidera à aller de l'avant, et ainsi à travers différentes vies, elle pourra progresser jusqu'au but le plus haut. 2

En un sens, l'hindouisme peut sembler plus difficile à approcher que ne le sont les autres grandes traditions religieuses. Ce n'est pas une religion missionnaire comme le sont le bouddhisme, le christianisme ou l'islam. Dans le passé, du fait que l'hindouisme croit que les gens arrivent naturellement à la voie quelle qu'elle soit qui leur convient, celui-ci n'a généralement pas cherché à faire des conversions. Il ne se considère pas comme la seule vraie religion, la seule voie de salut, et cela ne gêne pas un hindou de voir quelqu'un suivre une autre religion.

Tout cela signifie que l'hindouisme est resté plus étroitement identifié à sa terre d'origine que les autres grandes religions. Mais bien que son imagerie soit profondément indienne, rien dans les enseignements qui lui sont centraux ne limite celui-ci à l'Inde. Il y a plus de mille ans, l'hindouisme se répandit rapidement dans une grande partie de l'Asie du sud-est, et au cours des cent dernières années, les Indiens, conscients d'un besoin croissant, ont fait des efforts considérables pour exporter son message en Occident – non pas en vue de convertir ceux qui avaient déjà une religion, mais d'offrir une voie à ceux qui n'en ont aucune. Il n'est pas nécessaire d'aller jusqu'en Inde pour découvrir l'hindouisme. Il existe des groupes authentiques dans la plupart des pays occidentaux – en même temps, bien sûr, que des groupes moins authentiques, mais c'est à l'individu d'en décider – attachés à l'une des quatre grandes traditions hindoues que décrit ce livre.

À un moment où la vie en Occident traverse de grandes difficultés, l'hindouisme avec les autres grandes religions orientales, offre à l'homme occidental le moyen d'échapper à la faillite spirituelle. Les structures, aussi bien du christianisme en Occident que de l'humanisme libéral qui a tenté de le supplanter, se sont effondrées, et l'individu est abandonné dans une jungle de chaos moral et intellectuel qui va en s'assombrissant. Mais sans une vue du monde cohérente et compréhensive pour nous guider, nous ne pouvons pas éviter de faire de graves erreurs, et la vie est en grande partie gâchée.

Face à cette situation, l'hindouisme se présente à nous comme une voie ancienne et authentique, éprouvée par de nombreux siècles d'expérience humaine. Tout en reconnaissant l'importance des formes religieuses, l'hindouisme n'a pas perdu de vue leur nature finalement relative. Alors que ses diverses traditions vont beaucoup plus loin que tout ce que la raison peut nous faire découvrir, elles reconnaissent les demandes de la raison et ne sont généralement pas en conflit avec elle. L'hindouisme offre une vision de l'homme et de ses possibilités qui va bien au-delà de ce à quoi nous sommes habitués : « Le paradis est ce qui charme l'esprit ; l'enfer est ce qui nous fait souffrir », nous dit le Vishnu Purana. 3 C'est une voie qui n'exige pas tant des actes de foi que la volonté d'écouter les voix du passé, qui exige de penser clairement à ce qui est important dans la vie, et finalement, de faire l'effort d'appliquer dans notre propre vie certaines mesures pratiques et d'en observer le résultat. L'hindouisme affirme fournir des moyens systématiques de progrès spirituel ; des méthodes qui peuvent être mises à l'épreuve. Ce n'est qu'en s'engageant sur une voie particulière et en pratiquant les méthodes, qu'on découvrira si cette voie est valide et si elle convient à l'individu concerné.

notes et références

INTRODUCTION

1. Swami Harshananda, *Hindu Gods and Goddesses*, Mysore, 1981, p. 160

2. T.M.P. Mahadevan, *Outlines of Hinduism*, Bombay, 1984 pp. 249-50

3. Commentaire de Shankara sur la Bhagavad Gita ; introduction au vers 18.67

4. Dans la Shvetashvatara Upanishad (vers 4.2), il est dit de Brahman, « Cela même est le feu, C'est le soleil… », et dans le vers suivant, « Tu es la femme, Tu es l'homme… ». L'implication selon laquelle on peut voir la Réalité Suprême soit comme impersonnelle, soit comme personnelle, est claire. Swami Tyagisananda, *Shvetashvatara Upanishad*, Madras, 1987, p. 77.

5. Rig Véda, 1.164, vers 46.

6. Bhagavad Gita, 2.46.

CHAPITRE UN

1. F.M. Mueller, *India: What Can It Teach Us?* Londres, 1883, p. 29.

2. Thomas Hopkins, *The Hindu Religious Tradition*, Belmont, 1971, pp. 4 - 9.

3. Ibid., pp. 9 - 10.

4. Rig Veda, 10.90, vers 11 - 12. Traduction J. Varenne, *Cosmogonies védiques*.

5. H.L. Basham, *The Wonder That Was India*, Londres ,1971, pp. 149 – 151.

6. Ce livre suit la pratique de nombreux auteurs en utilisant le terme *brahmine* afin de faire la distinction entre la classe des prêtres et les textes, les *Brahmanas* ; en sanscrit, les deux termes s'écrivent de la même manière. Tous deux signifient « qui s'intéresse à *Brahman* », la Réalité ultime. Un quatrième terme, *Brahma* (la forme masculine, Brahman étant la forme neutre), se rapporte à l'aspect limité de Brahman responsable de la création : Brahma est le Dieu-Créateur.

7. Certains érudits indiens font remonter les premiers textes du Rig Véda à déjà 4000 av. J.C. Voir K. Klostermaier, *A Survey of Hinduism*, Albany, 1989, pp. 415 - 416.

8. L'idée surgit à plusieurs reprises dans la culture occidentale. Les Grecs appellent ce principe *physis*. Tout l'art classique en Europe repose sur la notion d'un ordre inhérent ; c'est également le cas dans le mouvement écologique moderne.

9. Le *Purusha Shukta* se trouve dans le Rig Véda, 10.90 ; le *Gayatri* se trouve dans la section 3.62, vers 10.

10. Rig Véda, 10.129. Traduction J. Varenne, *Cosmogonies védiques*.

11. Voir les sections « The Solar Self » et « The Sun of Transformation », dans D. Frawley, *Wisdom of the Ancient Seers*, Salt Lake City, 1992.

12. K. Klostermaier, op. cit, p. 130.

CHAPITRE DEUX

1. A.K. Coomraswamy , «An Indian Temple », vol. 1 de *Selected Papers* (Ed. R. Lipsey), Princeton, N.J., 1977.

2. Rig Véda, 10.90 (*Purusha Shukta*), vers 6-7. Traduction L. Renou, *Hymnes et Prières du Véda*.

3. Vishnu Purana, 2.14.

4. Chandogya Upanishad, 8.12.1.

5. S. Dasgupta, *A History of Indian Philosophy*, vol 1, Delhi, 1975, pp. 30 - 31.

6. Rig Véda, 1,164, vers 6.

7. Chandogya Upanishad, 3.14. 1.

8. Aitareya Upanishad, 3.1.3. Traduction P. Lebail, *Six Upanishads Majeures*.

9. Chandogya Upanishad, 6.9.

10. Chandogya Upanishad, 3.1. 6.

11. Kena Upanishad, 1.6 et 1.7. Traduction P. Lebail, *Six Upanishads Majeures*.

12. Rig Véda, 1.164, vers 20. Traduction L. Renou, *Anthologie Sanskrite*.

CHAPITRE TROIS

1. Vishnu Purana, 1.22.

2. Alain Danielou, *Hindu Polytheism*, New York, 1985, p. 152

3. Danielou, op. cit., p. 155.

4. Vishnu Purana, 1.22.

5. Karapatri, « Shri Vishnu Tattva': cité dans Danielou, *op. cit.*, p. 155.

6. Cité par Coomaraswamy, *The Dance of Shiva*, New York, 1924, p. 60.

CHAPITRE QUATRE

1. Vishnu Purana, 6.1.

2. M. et J. Stutley, *A Dictionary of Hinduism*, London, 1977, p. 349.

3. Maitri Upanishad, 6.25. Cité dans Stutley, op. cit., p. 350.

4. Voir la Bhagavad Gita, 6.11 a 6.29, où la pratique du yoga est décrite en certains details.

5. Hathayoga-Pradipika, 1.65, cité dans G. Feuerstein, *The Yoga-Sutra of Patanjali*, Folkestone, 1979, p. 59.

6. Yoga-Sutra, 1.2 et 2.29 ff. Traduction A.M. Esnoul, *L'Hindouisme*.

7. Yoga Vasistha, que Swami Venkatesanada traduit par *Vasistha's Yoga*, Albany, N.Y., 1993, p. 316

8. Bhagavad Gita, 2.58. A.M. Esnoul, *L'Hindouisme* (traduction O. Lacombe).

CHAPITRE CINQ

1. K. H. Potter, *Encyclopedia of Indian Philosophies*, Princeton, N.J., 1977-90, vol.3, pp. 119-20.

2. Cité dans A.J. Alston, *A Shankara Source-Book*, six volumes, Londres, 1980-1989, vol.1, pp. 44 et 46.

3. Commentaire sur le *Karikas* de Gaudapada, 1.7. Alston, op. cit., vol.2, p. 79.

4. Bhagavad Gita, 2.16. A.M. Esnoul, *L'Hindouisme* (traduction O. Lacombe).

5. Panchadashi, 10, vers 9-15.

6. Aitareya Upanishad, 3.1.1. Traduction P. Lebail, *Six Upanishads Majeures*.

7. Commentaire sur l'Aitareya Upanishad, 3.1.1. Alston, op. cit., vol. 3, p. 47.

8. *Karikas* 2.31. Cité dans Alston, op.cit., vol.1, p. 27.

9. *The Essence of Yogavasishtha*, Samata Books, Madras, 1985, p.229.

10. Commentaire sur le Brahma Sutra, 2.1.22. Alston, op. cit., vol. 2, p. 8.

11. Mundaka Upanishad, 3.2.9. Traduction P. Lebail, *Six Upanishads Majeures*.

CHAPITRE SIX

1. Yoga Vasishtha, que Swami Venkatesananda traduit par *Vasishta's Yoga*, Albany, N.Y., 1993, pp. 325-6.

2. Sir John Woodroffe, *The World as Power*, Madras, 1974, p.109.

3. Le philosophe oxfordien H.H. Price a suggéré que cette identification du Soi avec l'intelligence est peut-être la source ultime de bien des maux qui affligent l'Occident. Voir *Self Knowledge*, vol. 45, no 1, Shanti Sadan, Londres, p. 8.

4. Katha Upanishad, 1.3, vers 3 - 9.

5. Swami Rama Tirtha, *In Woods of God-Realisation*, Sarnath, 1957, vol. 2, p. 34.

6. Commentaire sur la Mandukya Upanishad, 8.12. Alston, op. cit., vol. 6, p.168.

7. Commentaire sur la Mandukya Upanishad, 2.2.4. Alston, op. cit., vol. 6, p.164.

8. Brihadaranyaka Upanishad, 4.4.3.

9. Shvetashvatara Upanishad, 5.12.

10. Upadesha Sahasri (section en prose), 12-13. Alston, op. cit., vol. 5, pp. 268-269.

CHAPITRE SEPT

1. Shvetashvatara Upanishad, 4.4. Traduction A.M. Esnoul, *L'Hindouisme*.

2. Bhagavad Gita, 11, vers 12-13. A.M. Esnoul, *L'Hindouisme* (traduction O. Lacombe).

3. Bhagavad Gita, 18, vers 64-66. A.M. Esnoul, *L'Hindouisme* (traduction O. Lacombe).

4. Nammalvar, dans V. Raghavan, *Devotional Poets and Mystics* (Part One), Delhi, 1983, p. 35.

5. Appar ; dans W.T. de Bary (ed.), *Sources of Indian Tradition*, New York, 1958. p. 353.

6. Nammalvar ; dans V. Raghavan, op.cit, pp. 39-40.

CHAPITRE HUIT

1. Mahanirvana Tantra 4.25, dans « Arthur Avalon » (Sir John Woodroffe,), *Tantra of the Great Liberation*, New York, 1972, p. 49.

2. Cité par S. Radhakrishnan, *Indian Philosophy*, Londres, 1927, vol. 2, p. 735.

3. Swami Harshananda, *Hindu Gods and Goddesses*, Mysore, 1981, p. 98.

4. Cité dans J. Dowson, *A Classical Dictionary of Hindu Mythology*, Londres, 1968, p. 86.

5. Mahkala-Samhita, cité dans T.M.P. Mahadevan, *Outlines of Hinduism*, Bombay, 1984, p. 206.

6. Thomas J. Hopkins, *The Hindu Religious Tradition*, Belmont, 1971, p. 112. Les pages 112-17 et 126-30 de cette œuvre continent un résumé très clair de la pratique tantrique dont le reste de ce chapitre lui est redevable,

7. T.M.P. Mahadevan, op. cit., p. 208.

8. Hopkins, op. cit., p. 115.

9. Hopkins, op. cit., p. 128.

CHAPITRE NEUF

1. Shri Dada, cité dans H.P. Shastri, *The Heart of the Eastern Mystical Teaching*, Londres, 1979, p. 205.

2. Commentaire sur la Bhagavad Gita, 18.55.

3. Arthur Osborne, « The Two Kinds of Guru », dans *The Mountain Path*, vol.6 no.3 (juillet 1969), pp. 134-5.

4. Yoga Vasishtha, que Swami Venkatesananda traduit par *Vasishta's Yoga*, Albany, N.Y., 1993, p. 300.

5. H.P: Shastri, op. cit., p. 208.

6. T.M.P. Mahadevan, op. cit., p. 243.

7. Ibid. p. 240.

8. Arthur Osborne, *Ramana Maharshi*, Londres, 1954, pp. 141 - 143.

9. Cité par Arthur Osborne dans *The Mountain Path*, vol.6, no.3 (juillet 1969), p. 134.

10. Cité dans Arthur Osborne, *Ramana Maharshi*, p. 143.

11. Shankara, Commentaire sur la Chandogya Upanishad, 6.14.1 et 6.14.2. Alston, op. cit., vol. 5, pp. 271 – 273.

CHAPITRE DIX

1. Bien que, selon l'école du Sankhya, il existe de nombreux *purushas*, ceux-ci sont néanmoins considérés comme identiques; dans la première conception védique, le *purusha* était considéré comme un Être unique.

2. Bhagavad Gita, 6.37-45.

3. Vishnu Purana, 2.6.

glossaire

Advaita : « Le non-dualisme ». L'Advaita Védanta est la philosophie qui enseigne que la réalité ultime se trouve derrière la condition individuelle, hors du dualisme du sujet et de l'objet où opère la pensée.

Ahamkara : « Le Je-qui agit ». Le principe de l'individualisation, l'idée du soi en tant qu'individu distinct, à part des autres.

Alvar : Douze célèbres saints poètes de l'Inde du sud, profondément voués à Vishnu, qui écrivirent dans la langue tamoule. Ils anticipèrent le développement de la bhakti, ou mouvement dévotionnel, survenu plus tard.

Ashram : L'ermitage ou retraite d'un saint homme où la connaissance spirituelle est enseignée aux aspirants.

Atman : Le vrai Soi de l'homme, obscurci par l'individualité comme le soleil l'est par le nuage. Identique au Brahman ou Réalité, il consiste essentiellement en pure conscience.

Avatar : La « descente » d'un dieu dans un corps humain ou quelque autre corps physique. C'est généralement Vishnu qui descend ainsi ; ses deux avataras les plus connus sont Rama et Krishna.

Avidiya : « L'ignorance ». Dans la philosophie de l'Advaita, c'est l'ignorance qui cause notre identification avec l'individualité, et obscurcit ainsi notre vraie nature en tant qu'Atman, nous rendant sujets à la souffrance et à la peur.

Bhagavan : « Celui qui est Adorable », un titre généralement donné à Vishnu ou à son avatara Krishna.

Bhagavad Gita : « Le Chant de celui qui est Adorable », les enseignements donnés par Krishna à Arjuna. Elle résume en dix-huit chapitres une grande partie de la perspective hindoue. L'un des livres les plus importants de la tradition hindoue.

Bhagavata Purana : Le dixième livre de ce purana est important dans le culte de Krishna, et raconte son enfance et son amour des gopis.

Bhakta : Celui qui suit le *Bhakti-marga*, la voie de la dévotion.

Bhakti : La dévotion à un dieu ou à un avatara. Le mouvement de la bhakti est l'une des expressions les plus importantes de l'hindouisme.

Bhashya : Un commentaire sur un texte préexistant. Une grande partie des écrits philosophiques indiens se présente sous la forme de ces commentaires.

Brahma : Le Dieu-Créateur. L'aspect de la réalité ultime qui amène l'univers à l'existence. De nos jours, Brahma est peu vénéré.

Brahma Sutra : Le texte qui résume en brefs aphorismes la position de l'école du Védanta.

Brahman : La Réalité Suprême que l'on peut considérer de deux manières : Nirguna Brahman qui est au-delà de toute limitation de forme et par suite, qu'on ne peut concevoir. Saguna Brahman, le Brahman « doté de qualités »,le dieu personnel de la tradition dévotionnelle hindoue.

Brahmanas : Textes concernés par le rituel et la signification des sacrifices de la religion védique antique. Ils constituent la seconde et la plus ancienne section des Védas.

Brahmine : La plus haute des quatre classes qui divisent la société hindoue, dont la grande tâche est de comprendre et de transmettre la connaissance des Védas.

Braj : Région proche de la cité de Mathura où se déroulèrent l'enfance et la jeunesse de Krishna. Un grand centre de pèlerinage.

Buddhi : La faculté mentale la plus haute, qui évalue et sélectionne. Souvent traduite comme « l'intellect » ou « la raison supérieure ».

Chakra : Terme utilisé dans la tradition tantrique pour indiquer les centres de l'énergie psychique et spirituelle dans l'homme.

Cit : La conscience. En elle-même, *Cit* est pure conscience, libre de tout conditionnement et sans le moindre objet. Voilée par l'idée de notre individualité, elle apparaît comme l'esprit soumis à la dualité.

Citta : L'aspect de l'esprit où les souvenirs profonds et inconscients (*vasanas*) qui conditionnent l'individu, s'accumulent et se poursuivent d'une vie à l'autre pour former le karma. Dans la tradition du Yoga, *citta* possède une signification plus large, indiquant l'esprit dans sa totalité.

Deva : Un dieu. Un aspect particulier de la réalité ultime sous la forme d'une déité.

Dharma : Vertu, devoir, religion. L'ordre naturel des choses, qui détermine le devoir d'une personne. Enfreindre le dharma revient à inviter le désastre.

Gita : Abréviation souvent utilisée pour la Bhagavad Gita.

Gopi : Les gopis étaient les jolies femmes de Braj qui tombèrent amoureuses de Krishna. Elles symbolisent l'ardent désir de l'âme humaine pour le divin.

Guna : « Qualité ». Les trois *gunas* sont les qualités ou tendances fondamentales qui animent tout ce qui existe, et dont les fils tissent l'univers. Voir *Tamas, Rajas, Sattva*.

Gourou : « Celui qui dissipe l'obscurité », c.à.d. le guide et maître spirituel. Comme aucune qualification officielle n'est requise pour devenir un gourou, seule la qualité de son enseignement et la nature de sa propre vie permettent de reconnaître son authenticité.

Ida : L'un des canaux subtils, qui ne sont pas apparents physiquement et à travers lesquels passent les énergies vitales. Il forme une partie de la compréhension tantrique de l'homme.

Ishvara : « Le Seigneur ». La réalité ultime ou Brahman, conçu comme « doté de qualités ». La source de tout ce qui existe.

Jain : L'ancienne religion jain se distingue de l'hindouisme, car, comme le bouddhisme, elle n'accepte pas l'autorité des Védas.

Jiva : Le soi individuel qui fait l'expérience de la vie et de la mort.

Jivan-mukti : Celui qui est « libéré dans la vie », c.à.d. celui qui, alors qu'il vit dans le corps humain et paraît agir dans le monde, a cessé intérieurement de s'identifier à la condition individuelle, ayant découvert sa vraie nature en tant qu'Atman.

Jnana-marga : « La voie de la connaissance », identifiée à l'Advaita Védanta, mais aussi jadis à la philosophie du Sankhya.

Jnani : « Celui qui connaît », celui qui a vu à travers le monde phénoménal et la condition individuelle, et connaît la Réalité au-delà.

Kali Yuga : Le dernier et le plus détérioré des quatre âges qui constituent l'ensemble cyclique du temps. Le monde est à présent dans le Kali Yuga.

Kalpa : Un grand cycle de temps durant lequel l'univers vient à l'existence et est maintenu en existence avant de retourner à l'état non-manifeste. Un kalpa contient de nombreux cycles inférieurs, appelés *Mahyugas* et *Yugas*.

Karana Shrira : « Corps causal ». L'être individuel à son niveau d'existence le plus fondamental, d'où naissent les niveaux mental et physique.

Karika : Traité en vers résumant brièvement un système de pensée.

Karma : « Action ». Le mot est souvent utilisé pour indiquer les résultats accumulés des actions passées qui continuent d'une vie à l'autre, déterminant la re-naissance et le conditionnement de l'individu.

Kundalini : Dans le tantrisme, la kundalini est l'énergie vitale (symbolisée par un serpent) qui bloque la croissance spirituelle de l'homme. Une fois « éveillée » ou devenue consciente, elle devient le véhicule de cette croissance.

Lingam : La représentation symbolique du phallus, indiquant le pouvoir créatif de la réalité ultime ou 'Père Céleste. En tant que symbole le plus courant de Shiva, il a la forme d'un court pilier au sommet arrondi.

Mahabharata : Le grand poème épique de l'Inde, dont la Bhagavad Gita constitue une section.

Maharishi : « Grand Sage », titre de respect.

Mahatma : « Doté d'une grande âme », titre de respect.

Mahayuga : Un cycle d'existence d'une durée de 4,320.000 ans, subdivisé en quatre *yugas* ou âges dont la qualité va en déclinant progressivement.

Manas : La faculté inférieure de l'esprit, en opposition à la buddhi. Manas a deux aspects. En tant que sens-esprit, il saisit la causalité et transforme l'information sensorielle en perceptions. En tant que raison discursive, il forme les concepts, calcule les conséquences et pèse les avantages.

Mantra : Le son ou le nom qui est l'essence d'une réalité spirituelle et au moyen duquel on peut l'évoquer.

Marga : « Une voie ». Certaines des approches centrales à l'hindouisme – l'approche de la dévotion, celle de la connaissance, etc. sont dites des « voies ».

Maya : « Illusion », « magie ». Le mot indique la rupture de continuité entre les différents ordres d'être, et en particulier entre le monde empirique et la Réalité Absolue.

Moksha : « Libération » de l'asservissement de la condition individuelle, et la découverte du vrai Soi qui se trouve derrière la dualité, et par suite, au-delà de la re-naissance et de la souffrance. Le but le plus élevé de la vie.

Mudra : Geste formel ayant une signification précise et la capacité d'évoquer ou de transmettre une attitude spirituelle

Nayanar : Les Nayanars étaient un groupe de saints poètes de l'Inde du sud, qui exprimaient leur profonde dévotion à Shiva dans la langue tamoul.

Nirguna : « dénué de qualités ». Dans les Upanishads, la Réalité Absolue est souvent considérée comme étant sans qualités, puisque toute qualité constitue une limitation.

Om : Le son-symbole de la Totalité, dans lequel est contenue la vision métaphysique de l'hindouisme, avec ses différents niveaux d'être.

Pingala : Dans le tantrisme, le nom d'un canal subtil qui n'est pas physiquement apparent et par lequel passent les énergies vitales.

Prakriti : La substance inerte originale de l'univers, qui pénètre toutes les formes. Le potentiel non-différentié d'où émane la matière et le monde tout entiers.

Prana : L'énergie vitale – dont le souffle est seulement l'aspect le plus évident – qui active l'esprit comme le corps. À la mort, le prana se retire du corps, emportant avec lui les autres éléments subtils.

Purana : Texte où les anciennes traditions concernant une déité particulière sont rassemblées, et sa ou ses vertus et pouvoirs exaltés. Il existe dix-huit puranas majeurs.

Purusha : L'Esprit éternel, donateur de vie. Souvent utilisé comme synonyme d'Atman ou de Brahman. Dans le système du Sankhya, chaque être vivant est un purusha, empêtré dans l'élément matériel inerte, prakriti.

Rajas : L'un des trois gunas ou qualités. Rajas est le guna de l'activité, du mouvement, du changement de l'auto-assertion.

Ramayana : L'ancien poème épique dans lequel est racontée l'histoire du Seigneur Rama, l'une des principales incarnations de Vishnu.

Rishi : Sage ou visionnaire, en particulier dans les Upanishads.

Rita : Dans les Védas, *rita* est la loi ou l'ordre divin inhérent à tout ce qui est, l'harmonie intégrant le cosmos. Les idées de *dharma* et de *karma* venues plus tard, proviennent de ce concept.

Sadhana : « Pratique », en particulier les pratiques de la tradition tantrique.

Sadhu : Ascétique hindou ou saint homme, dont la vie est consacrée à la religion.

Saguna : « Doté de qualités ». Saguna Brahman est la Réalité Suprême, considérée comme étant dotée des qualités les plus hautes, et de ce fait, accessible à la pensée. Le Dieu Personnel de la religion.

Samadhi : « Absorption ». Terme associé à la tradition du Yoga, indiquant les états de conscience élevés dans lesquels l'esprit ralentit ou s'arrête et l'individualité est transcendée.

Samhita : « Collection ». Les Samhitas sont les collections de vers originales qui constituent la section la plus ancienne des quatre Védas et leur fondement.

Sampradaya : Secte ou tradition au sein de l'hindouisme, ayant sa propre histoire et ayant des idées et des pratiques religieuses distinctes

Samskara : Le conditionnement psychologique sous la forme d'une tendance profondément enfouie dans l'esprit, le résultat de l'attachement et des réactions émotionnelles. Les *samskaras* passent d'une vie à l'autre et forment le *karma*.

Sankhya : L'une des six écoles de la philosophie indienne.

Sansara : « Cours commun », notre expérience du flux de l'existence individuelle dans le monde phénoménal, et du cycle des morts et des naissances.

Sattva : L'un des trois *gunas* ou qualités. La qualité de clarté, d'objectivité, d'impartialité, de vérité, d'équilibre, d'harmonie.

Shaivisme : Le culte du dieu Shiva.

Shakta : Celui qui vénère le principe de la *shakti* ou énergie divine, souvent personnifiée sous la forme de la déesse Shakti.

Shakti : Le « pouvoir » ou « énergie » grâce auquel l'Absolu paraît agir. Le principe « féminin » qui amène l'univers à l'existence. La force qui soutient toute vie et toute manifestation.

Shri : Titre indiquant le respect. Également le nom de la consort de Vishnu.

Shruti : « Ce qui est entendu » ou transmis oralement, c.à.d. les Védas.

Sikh : La religion sikh, bien qu'alliée à l'hindouisme, n'en fait pas partie. Les sikhs ont leur propre livre saint et ne reconnaissent pas l'autorité des Védas.

Sushumna : Dans le tantrisme, le canal central subtil qui relie les *chakras* dans le corps humain.

Sutra : « Le fil », c.à.d. le texte de base d'un système de pensée présenté sous la forme de brefs aphorismes destinés à aider la mémoire plutôt qu'à présenter un exposé complet.

Tamas : L'un des trois *gunas*. La tendance à l'inertie, l'inactivité, l'ignorance, la corruption, la destruction.

Tantra : Les textes formant la base de la tradition tantrique, ou la tradition elle-même. Le tantrisme met l'accent sur l'importance de la shakti, le principe « féminin », et a ses propres pratiques caractéristiques.

Tattva : « Ce qui est », l'essence d'une chose. Les *tattvas* sont les réalités ou catégories fondamentales sur lesquelles repose un système de pensée.

Trimurti : Les « Trois Formes » ou aspects de la Réalité Suprême en relation avec le monde : les dieux Brahma, le Créateur ; Vishnu, le Préservateur ; et Shiva, le Destructeur qui transcende le monde.

Upanishad : La dernière section des textes qui constituent les Védas. Elles consignent les intuitions des grands sages d'une période ultérieure, et ont un grand poids en tant que fondement d'une grande partie de la pensée hindoue.

Vaishnavisme : Le culte du dieu Vishnu.

Vasana : Impression mentale laissée dans l'esprit à la suite de l'impact émotionnel d'une expérience.

Véda : Les quatre Védas sont les textes sacrés de l'hindouisme. Ils contiennent plusieurs sections différentes – les Samhitas, les Brahmanas et les Upanishads – qui appartiennent chacune à des périodes différentes du développement religieux.

Védanta : « La fin du Véda », l'école qui cherche à systématiser et à développer les intuitions des Upanishads. Shankara en est le représentant éminent.

Yoga : « Union », la discipline conduisant à l'identité avec le vrai Soi. Il existe de nombreuses variétés de Yogas, dont l'Hatha Yoga connu en Occident n'est que l'une d'entre elles. Le Yoga est l'une des six écoles de philosophie, qui s'associèrent au sage Patanjali.

Yuga : L'un des âges du monde, faisant partie de l'ensemble du temps cyclique. Il y a quatre *Yugas* dont les qualités vont en diminuant, chacun de ces âges étant plus court que le précédent. Le schéma se répète de nombreuses fois.

Imprimé en Espagne par
Liberdúplex
à Sant Llorenç d'Hortons (Barcelone)
en mai 2016

N° d'impression : 52577
Dépôt légal : juin 2016
I82994/61